삶의 가치를 향상 시켜주는
구원에 이르는

믿음의 길

삶의 가치를 향상 시켜주는
구원에 이르는

믿음의 길 확신편 | 배우는책 (그룹용)

초판 인쇄 | 2005년 12월 10일
초판 발행 | 2005년 12월 20일

출판등록번호 | 제16-3012(북스앤피플)
ISBN | 89-90742-37-4

펴낸이 | 신경하
엮은이 | 김영주
책임집필자 | 한영제
집필자 | 최임선 임용택 강연희 이경재
일러스트 | 서대철 이명춘
이미지제공 | 송병구
펴낸곳 | Books & People 교육국 교재개발실

주소 | 북스앤피플 서울시 송파구 풍납2동 156-13 2층
　　　　　　전화 02-538-0183, 02-482-0990
　　　　　　www.bople.co.kr
　　　　교육국 교재개발실 서울시 중구 태평로 1가 감리회관
　　　　　　전화 02-399-3957, 3958
　　　　　　www.kmcedu.or.kr

STAFF
기획및진행 | 리드컴 이강호
디자인 | 리드컴 강신윤
마케팅 | 북스앤피플 황영신
필름 | 영광프로세스
인쇄 | 미콤아트프린팅

Published by Books &People Co., Ltd. Printed in Korea

삶의 가치를 향상 시켜주는
구원에 이르는

믿음의 길

이 책은 교우 여러분을 위해 만든 신앙교육교재입니다. 쉰 두 번의 공부를 통해 마스터할 수 있습니다.

일러두기

이 책은 처음 예수 믿기 시작한 분들에게 '구원에 이르는 믿음의 길'로 안내하기 위해 만들었습니다. 또한 이미 믿기 시작한 이들도 믿음으로 굳게 서기 위함이기도 합니다. 여러분의 '삶에 영원한 생명을 불어 넣어주는' 책이 되기를 바랍니다.

이 책은 크게 1편(전편)과 2편(후편)으로 나뉘어져 있습니다.

전편(25과)은 〈확신편〉으로 '예수 믿으세요'라는 제목이고
후편(27과)은 〈성장편〉으로 '믿음으로 사세요'라는 제목입니다.
그래서 전편은 확신반에서, 후편은 성장반에서 각각 배울 수 있겠습니다.

이 책은 모두 제4부로 되어 있습니다.

전편의 내용은 제1부(믿음의 대상)와 제2부(믿음의 기초)로 되어 있습니다. 우리가 믿는 하나님과 예수 그리스도 그리고 성령에 관하여 살펴보고, 우리가 어떻게 구원에 이를 수 있는지를 자세히 공부하게 될 것입니다. 그리하여 '구원의 확신'과 더불어 '구원의 완성'에 이르기 위한 말씀도 묵상합니다.

후편의 내용은 제3부(믿음의 성장)와 제4부(믿음의 생활)로 구성되어 있습니다. 그리스도인들이 어떻게 그 믿음을 성장시켜 나갈 것인가 하는 문제와, 그 믿음을 삶의 현장에서 어떻게 나타낼 것인가 하는 문제를 다루게 됩니다.

그 '부'마다 '권'이 있고 그 안에 '과'가 있습니다. 모두 52과(1년용)로 이루어져 있습니다. 각 과마다 서너 개 씩 항목이 있으므로, 이 책의 구조는 '편부권과번'으로 구분 짓습니다.

한 과의 분량(12페이지)은 대략 35~40분 정도 됩니다.
각 과마다 외울 말씀(52개)이 있습니다.

이 책은 두 가지 형태로 만들어졌습니다.

함께 팀으로 배울 때를 위한 〈배우는책〉(그룹용)과, 개인적으로 연구하거나 가르치는 이를 위한 〈교사의책〉(연구용)이 그것입니다. 그리고 별도로 보조교재(사랑의 길)가 준비되어 있습니다. 때에 따라서는 각 과에 해당되는 글을 함께 읽어나가면 도움이 되리라고 봅니다.

성경을 인용할 때 새번역을 사용한 이유는, 젊은이들과 처음 예수 믿기 시작하는 이들을 의식했기 때문입니다. 보통 인용은 작은따옴표(' ')로 하고 성경구절은 큰따옴표(" ")로 하여 구분 지었습니다.

만일 당신이 나에게 이 책을 재미있게 읽었다고 말하면

나는 웃기는 할 것입니다.

그러나 나는 당신이 좀더 다른 말을 해 주기를 기대할 것입니다.

만일 당신이 이 책에서 많은 교훈을 받았다고 말한다면

나는 더 크게 웃을 것입니다.

그러나 나는 아직도 그러한 말에 만족을 느끼지는 않을 것입니다.

그런데 만일 당신이 이 책 때문에

예수 그리스도를 발견하고 주님으로 영접하였으며

그 분을 위해 살기로 결심하고

그렇게 힘쓰며 살아가게 되는데 힘이 되었다고 한다면

나는 그 때 바로 스릴을 느낄 것입니다.

내가 이렇게 말하는 것은 이 책의 목적이

당신에게 단순한 지식과 정보만을 주기 위해서 쓰여진 것이 아니라

그 분에게로 이끌어들이기 위한 자극제가 되기 위함이었기 때문입니다.(지그 지글러)

외울말씀

○ ● ○ ● ◎ ○ ○

목차

첫만남 * 확신편

사랑하는 형제자매 여러분

여러분을 만나 뵙게 된 것을 기쁘게 생각합니다

이제부터 한 과목씩 배워나갈 때마다 우리 주님께서 잘 깨달을 수 있도록 지혜를 주시기를 바랍니다

여러분은 지금 인생의 가장 중요한 선택과 결정을 하였습니다

첫만남
오리엔테이션

01 _ 첫만남 오리엔테이션

이 과의 주제 💬

여러분을 만나 뵙게 된 것을 기쁘게 생각합니다.
우리 주 예수 그리스도의 이름으로 환영합니다.

외울말씀 요한복음 15:16

마음열기

초등학교 1학년 때 학교에서 운동회가 열렸습니다. 모두들 신이 났고, 목이 터져라 자기 반을 응원했습니다.

이제 이어달리기(릴레이) 순서입니다. 탕! 총소리와 함께 각 반의 대표들이 달리기 시작합니다. 바통 터치도 하고 제법 잘 달립니다. 우리 반이 1등으로 달립니다. 모두들 신이 났습니다. 이제 마지막 주자만 남았습니다. 우리 반의 마지막 주자는 전교에서 달리기를 제일 잘합니다. 그래서 우리는 우리 반이 1등을 할 것이라는 강한 확신이 있었습니다.

그런데~, 모두가
'어억, 저럴 수가?!'
하면서 자지러지고 말았습니다. 글쎄, 마지막 주자가 몸을 돌려 바통을 받고서는 그대로(그러니까 실제로는 거꾸로) 달리는 것이었습니다. 그것도 전교에서 제일 빨리 달렸습니다. 우리 반 1등의 꿈은 그렇게 무너졌습니다.

 속도가 문제가 아닙니다. 그러면 무엇이 문제입니까?

 우리의 만남은 아주 작은 인연으로 시작되곤 합니다. 여러분이 만난 소중한 사람들은 어떻게 만나게 되었습니까?

우리의 만남
우리의 만남은 주님의 은혜라오
우리의 모임은 주님의 축복이라오
우리는 하나님 영광 위해
지음 받았으니
우리를 하나님 나라 위해
충성되게 하소서
오 주여
나의 소명 항상 인도하소서

말씀열기

여러분은 어떻게 해서 교회에 나오시게 되었습니까?

땅에서 솟아나는 물 이야기로 시작된 사마리아 여인의 대화가, 생명을 살리는 물의 이야기로 발전했던 것처럼(요 4:1-42), 우리들의 관심이 영원한 생명으로 기울어진다면 누구나 구원받고 생명의 물을 마실 수가 있습니다.

A * 인생의 가장 중요한 선택

요 15:16

>>> 예수를 믿기로 결심한 것은 이루 말로 다 표현할 수 없는 기쁘고 놀라운 일입니다. 이 결정은 삶의 새 가치와 새 태도를 가진 새 사람이 될 수 있는 길의 첫 발자국입니다. 이 결정은 멸망으로 향하여 가던 우리의 인생길을 영생으로 방향을 돌리게 하였습니다.

속도가 문제가 아닙니다. 문제는 방향입니다.

Not Speed But Direction.

빌 게이츠는 '현대는 큰 것이 작은 것을 잡아먹는 시대가 아니라 빠른 것이 느린 것을 잡아먹는 시대'라고 말합니다. 그래서인지 사람들은 참 바쁩니다. 빠르게 움직입니다. 그러나 한 가지 간과하지 말아야 할 것은, 아무리 빨라도 방향이 잘못되면 그 빠른 것이 오히려 화근이 됩니다.

많은 사람들이 인생을 빗대어서 나그네 길과 같다고 합니다. 이러한 순례의 길에서 우리는 어디를 향하여 방향키를 조정하는가가 대단히 중요합니다. 신앙은 바로 그러한 방향을 올바르게 설정해 줍니다. 없어질 것, 썩어져 가는 것에 미혹되지 않게 하고, 영원한 생명의 길로 우리를 안내합니다. 우리는 그것을 '믿음의 길', 혹은 '구원의 길'이라고 부릅니다.

B* 한 순간에 완성되지 않음

딤전 4:6

≫ 사랑하는 여러분, 이제부터 한 과목씩 배워 나갈 때마다 우리 주님께서 여러분에게 잘 깨달을 수 있게 되도록 지혜를 주시기를 바랍니다(약 1:5-8). 뿐만 아니라 그 진리 앞에서 결단할 수 있는 용기와 그 말씀대로 행할 수 있는 능력도 주시기를 간구합니다.

 한 가지 유의할 점은, 이 공부는 층계를 오르거나, 사다리를 오르거나, 징검다리를 건너는 것과 같아서, 한 과라도 빠지고 넘어가면 충분히 이해할 수 없다는 것입니다. 그러므로 건너뛰지 말고 차례대로 차근차근 한 과씩 배워 나갑시다. 그러나 하다가 혹 다 이해하지 못했다 하더라도 너무 걱정하지 마시고 다음 과로 넘어가십시오. 결코 도중에 중단하지 마십시오.

□ 운전면허증을 따면 그 즉시 운전이 능숙합니까?
□ 섣달 그믐날 결혼을 한 사람이 정월 초하룻날에 다툰 이유
□ 드럼통의 물을 컵에 부으면 모두 담길 수 있습니까?

신앙의 굴곡
점선 : 성장기준선
X선 : 신앙의 연륜선
Y선 : 신앙의 성장선

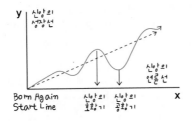

잠 24:16

C*곧 해야 할 것과, 미리 알아야 할 것

1. 성경책과 찬송가를 사십시오.

》》 성경책을 살 때 알아둘 점은 무엇입니까?

성경에는 여러 종류의 번역이 있습니다.

자, 중요한 것은 이것입니다. 성경을 읽는 일입니다. 그것은 하나님의 말씀으로 우리의 영혼을 살찌게 해야 하겠기 때문입니다. 물론 처음부터 다 이해가 되지 않겠지만, 그러나 기도하면서 꾸준히 읽노라면 성령께서 필요에 따라 점점 더 깊고 확실하게 깨닫게 해 주실 것입니다.

☐ 오늘 내가 읽고 있는 성경은 어느 부분입니까?
☐ 성경 어디에서부터 읽기 시작할까요?
☐ 하루 몇 장 읽기로 결심하였습니까?
☐ 어느 시간에 읽을 것입니까?
☐ 내가 읽기로 결심한 성경은 어떤 번역판입니까?

2. 기도를 시작하십시오.

》》 기도는 하나님과의 대화입니다.

기쁘고 감사한 일이 있을 때, 어렵고 슬픈 일이 있을 때, 소원이 있을 때 등 어느 때든지 수시로 혹은 규칙적으로 하나님께 말씀 드리는 것이 기도입니다. 기도하는 동안에 믿음이 자라고, 용서의 확신을 지니게 되며, 위로와 평안을 얻고, 용기와 힘을 얻으며, 희망을 가지게 됩니다.

처음에는 좀 어색할 수 있으나, 기도는 어린아이가 말을 배우듯이 점점 잘 할 수 있게 됩니다.

기도는 그리스도인의 영적인 호흡이어서 끊임없이 할 일입니다.

기도를 시작하십시오. 성령께서 우리의 기도를 도우실 것입니다.

매일 표시

'성경읽기표'의 칸에다가 그 날에 성경을 읽었으면 (/)표, 규칙적인 기도를 드렸으면 (\)표를 그리라. 둘 다 실천했을 경우에는 (×)표가 될 것이다.

□하루 중 언제 어떻게 기도하기로 결심하였습니까?

아침 기상과 취침 시에

식사 전에

그 외에 어느 시간을 정해

하루에 어느 정도씩

□기도의 제목들을 적어봅시다.

3. 교회를 정하였으니 이제 열심히 출석하십시오.

》》 등록하지 않은 교인은, 세상에 태어났지만 호적신고를 하지 않은 아기와 같습니다. 교회에 출석하지 않고 믿음생활을 할 수 있다는 것은 망상입니다. 신앙은 교회생활을 통해서 성장하는 법입니다.

이 세상에 교회를 대신할 만한 것은 아무 것도 없습니다.

물론 이 땅의 교회는 불완전하지만, 예수님께서 친히 세우신 교회이며, 교회를 통해서 성령이 역사 하시고 계시므로, 우리는 마땅히 교회를 중심으로 신앙생활을 하여야 합니다.

내가 등록한 우리 교회의 이름과 주소를 정확히 알아둡시다.

□등록 날짜 :

□교회 이름 :

□전화번호와 인터넷 주소 :

□담임목사와 나의 교구 담당 교역자 :

□소속 된 속회와 기관 :

어떤 예배를 참석하기로 결심하였는지 표시를 하십시오.

주일낮예배( ) 주일저녁예배( ) 수요기도회( )

속회( ) 새벽기도( ) 가정예배( ) 특별기도회( )

기타( )

4. 때로는 어려움이 올 수도 있지만 승리하십시오.

기드온은 우상을 타파하고 기도의 제단을 쌓았다
"그가 바알의 제단을 헐고 그 곁에 서 있던 아세라 상을 찍어버렸소"(삿 6:30).

> 사 41:8-10

> 요 10:28-29

≫ 예수 믿으면 모든 일이 순조롭게 잘 돼가기만 하거나 마음이 언제나 평안하기만 한 것은 아닙니다. 그리고 하나님의 계명대로 다 지켜 행할 수 없음도 느끼게 될 것입니다. 그럴 때 낙심하거나 의심하지 마십시오. 예수를 믿기 시작하였다는 것은 하나의 싸움을 시작하였다는 것을 뜻합니다.

생각열기

Q1 교회에 다니다보면 때로는 인간적으로 실망할 때가 있을 수 있습니다. 그러한 때에 어떻게 해야 할까요?

Q2 빨리 우리 교회에 적응할 수 있는 방법에는 무엇이 있을까요?

Q3 가까운 친지들이 우리가 시작한 신앙생활에 반대할 때 어떻게 하면 좋겠습니까?

Q4 마태복음 13:3-9을 읽고, 네 종류의 밭을 말해보고, 여러분 자신은 어떤 밭에 속하는지 묵상하십시오.

다음 과를 준비하며

'하나님'에 대하여 생각해보겠습니다.

15

믿음의 대상 * 확신편

믿음에는 대상이 필요합니다
이 단원에서는 우리 믿음의 대상인 하나님이
어떠한 분이신가를 바로 알고자 합니다

02 _1부1권1과 하나님은 살아 계십니다

이 과의 주제 💬

우리가 경험하는 모든 일은 하나님이 계시기에 출발된 일입니다. 놀라운 구원의 은혜를 누릴 수 있는 것도 모든 것의 근원이 되시는 하나님이 계시기 때문입니다.

외울말씀 창세기 1:1

삶이란

그가 선택한 신에 따라서 결정된다.

마음열기 |

　　　옛날 어떤 여행자가 약대를 타고 사하라 사막을 건넜는데, 날이 저물어 한 오아시스 곁에서 밤을 지내게 되었습니다. 그 때에 약대를 몰던 마부는 모래 위에 무릎을 꿇고 기도를 드렸다고 합니다. 그 때 여행자가 마부에게 물었습니다. '지금 무엇을 하였습니까?' '기도를 하였습니다.' '누구에게 기도했습니까?' '하나님께 기도를 하였습니다.' 그러니까 다시 물었습니다. '하나님을 못 보았습니까?' '못 보았습니다.' '그러면 하나님이 계신 줄 어떻게 아셨습니까?' 마부는 아무 대답도 못 하였습니다.

　　그리고 그 다음날 아침이 되었습니다. 그 여행자는, '아, 간밤에 약대가 우리 천막을 몇 바퀴 돌았구먼' 그랬습니다. 그 때 마부가 여행자에게 물었습니다. '약대가 도는 것 보았습니까?' '난 잠들었기 때문에 보지는 못했지요.' '만져보긴 했습니까?' '만져보지도 못했소.' '그러면 어떻게 압니까?' 그 때에 여행자는 대답했습니다. '아, 이보시오! 여기 모래 위에 약대의 흔적이 있지 않습니까!'

　　그 때에 아침 햇빛이 온 사막을 비치며 찬란한 사막의 풍경을 이루었습니다. 마부는 그 아름다운 아침 풍경을 가리키면서 말했습니다.

　　'이 모든 것이 하나님의 흔적이 아닙니까! 하늘이 하나님의 영광을 선포하고 궁창이 그 손으로 하신 일을 나타내고 있지 않습니까!'

Q1　　당신은 하나님이 계심을 믿습니까?

Q2 우리 주변에서 하나님이 계심을 믿지 못하는 사람들이 있습니까?
그들이 하나님의 존재를 믿지 못하는 이유는 무엇입니까?
그들에게 하나님이 계심을 어떻게 설명하시겠습니까?

말씀열기

우리는 지금부터 '믿음의 대상'에 대하여 공부할 것입니다. 이번 과는 우리를 만드신 하나님에 대하여 배웁니다. 하나님에 대하여 알아가기를 원하는 우리들이 반드시 먼저 고백할 것이 있는데, 그것은 하나님께 나아가는 사람은 반드시 하나님이 계심을 믿어야 한다는 것입니다. 우리의 신앙은 하나님이 계심으로 시작됩니다.

A＊알기 위해 믿습니다

창 1:1, 27

딤전 6:15-16

≫ 하나님은 하늘에 계신 분임을 성경은 가르쳐 줍니다. 이 말은 하나님은 자연을 지배하시고 계시며, 초자연적인 존재라는 뜻으로 표현한 것입니다. 곧 초월하신 존재, 우리의 감각이나 경험이나 인식을 초월하신 분이십니다.

그래서 참된 신이신 하나님은 하늘에 계시는 초월적 실재이므로, 믿지 않으면 하나님을 알 수가 없습니다. 하나님의 초월성이야말로 우리가 하나님을 믿는 근거가 되는 것입니다.

믿음

믿음은 보지 못하는 것을 믿는 것이다. 그러나 믿음의 결과로 보게 된다.
(어거스틴)

B* 하나님은 살아 계십니다

》》 하나님은 살아 계십니다. 하나님은 스스로 있는 자이십니다. 누구에 의해 창조되거나 존재 받기를 명하신 것이 아니라, 스스로 홀로 존재하시는 분이십니다. 그 하나님께 나아가는 사람은 반드시 하나님이 계시다는 것을 믿고 나아가야 합니다.

> 출 3:14

> 히 11:6

> 시 14:1

》》 어리석은 사람은 하나님이 없다고 합니다.

하나님이 계시다는 이론에 대한 논증은 그 증거가 하나만 있어도 능히 증명될 수 있지만, 하나님이 없다는 무신론에 대한 논증은 전 우주의 역사를 탐색해서 논증하기 전까지 불가능한 일입니다. 어느 한 분야에서라도 탐구하지 않은 영역이 있다면 이 이론은 결코 증명될 수 없습니다. 그래서 성경은 하나님이 없다는 사람을 어리석은 사람이라고 부르고 있습니다.

세상에 아버지 없는 사람이 어디 있습니까? 다만 아버지가 없다고 하는 못된 자식이 있을 뿐입니다. 결국 그러니까 하나님 아버지가 없었으면 좋겠다는 뜻입니다.

하나님은 살아계십니다.

> 시 18:46

하나님을 믿는 사람
하나님과 무관하게 사는 무신론자는 어리석은 사람이며, 하나님을 찾기만 하는 사람은 피곤하고 불행하게 하는 사람이나, 하나님을 믿는 사람은 도리에 맞고 행복하다.
(파스칼)

삼하 22:47

≫ 그 어떤 내용보다도 반복하여 강조되는 말씀이 하나님은 살아 계시다는 성경구절입니다. 하나님은 죽지 않았습니다. 하나님은 부재하지 않습니다. 하나님이 계심을 믿고 나아갈 때 하나님의 존재를 더욱 더 실제적으로 경험할 수 있게 됩니다.

C * 하나님의 존재를 어떻게 알 수 있습니까?

≫ 이론적으로 하나님을 논증함은 '하나님'에 관한 이론을 말함이 아니라 하나님을 믿는 '인간'의 신앙에 관한 것입니다. 그런 의미에서 우리가 어떻게 하나님의 존재를 믿게 되는가를 논할 필요가 있습니다.

1. 인간에게는 종교성이 있습니다.

≫ 개들이 함께 모여 예배한다는 이야기를 들어본 적이 있으십니까? 동물에게는 없고 인간에게만 있는 가장 고유한 속성은 종교성입니다. 오직 인간만이 예배의 대상을 알고 그 대상을 예배하는 존재입니다.

2. 또한 인간에게는 양심이 있습니다.

롬 2:15

인간에게는

하늘에는 별이 있고 사람의 속에는 도덕적 양심이 있다. (임마누엘 칸트)

》》 양심은 우리의 마음속에 있는 하나님의 음성입니다(벧전 3:21). 우리가 이 음성을 들을 때 자연히 양심의 본체이신 하나님께서 계신 것을 깨닫게 됩니다.

양심(conscience)이란 단어는 '함께'(con)라는 말과 '안다'(science)라는 말로 구성되어 있습니다. 양심이란 하나님과 함께 할 때 아는 앎입니다. 양심에 화인 맞는 것(딤전 4:2)은 하나님을 떠났을 때 나타나는 현상입니다.

3. 온 우주에 있는 삼라만상을 봄으로 알 수 있습니다.

> 롬 1:19-20

》》 하나님께서 만드신 만물 속에서도 하나님을 발견할 수 있습니다. 인간이나 인간이 거하고 있는 우주는 그냥 생겨난 것이 아닙니다. 그 모든 것을 보면서 하나님을 깨달아야 합니다.

> 시 19:1

》》 우주를 붙들고 있는 배후의 체계와 운행을 봅니다.
하나님은 우리가 가는 곳마다 계시고 만물에 담겨 있으되, 그 어느 곳보다 가장 가까이, 사람 한 사람 한 사람의 마음 속에 계시다는 진리를 깨닫게 될 것입니다.

4. 우리에게 보내주신 예수님을 통하여 알 수 있습니다.

> 빌 2:6-7

> 요 14:7

> 요 12:44-45

》》 하나님이 계신 확실한 증거로써 가장 뚜렷한 사실은 예수님을 통하여 하나님의 모습을 우리에게 보이신 것입니다(빌 2:6-7).

5. 내 안에 역사 하시는 하나님을 경험합니다.

롬 8:16

》》 기독교의 역사는 하나님을 경험한 사람들의 역사입니다. 그리고 마지막으로 가장 확실한 것은, 내 속에서 역사하시는 하나님의 실존을 경험하는 일입니다. 우리 자신의 신앙적 경험이 그것입니다.

어느 그리스도인이 병원에 입원을 하였는데 너무나 고통스러우니까 벽에다가 다음과 같은 글을 써 붙였습니다 :
'하나님은 아무 데도 없다.'
그런데 그 병을 통한 고난 중에서도 시간이 흐를수록 하나님의 사랑과 섭리를 깨닫고 벽의 글을 수정하기에 이르렀습니다. 철자 하나만 그 위치를 변경시킨 겁니다 :
'하나님은 지금 여기 계신다.'

God is no – where
God is no – w – here
God is now – here

생각열기

Q1　당신은 하나님이 계심을 어떻게 확신할 수 있습니까?
당신의 언어와 경험으로 말하여 보십시오.

다음 과를 준비하며

다음 시간에는 하나님은 어떤 분이신가에 대해 배울 것입니다.

솔로몬 왕은 지혜란 하나님을 경외함이라고 했다
"저 여자에게 주시어도 좋으니 아이를 죽이지는 말아 주십시오"
(왕상 3:26).

03 _1부1권2과 하나님은 어떤 분이신가

이 과의 주제 💬
믿음의 대상이 되시는 하나님은 어떤 분이신가를 배우게 됩니다.

외울말씀 요한복음 3:16

계시 (Revelation)

하나님은 인간이 만들어낸 신이 아니기 때문에 인간의 지식의 대상이 될 수 없고 우리가 생각해 내어서 말할 수 없습니다. 다만 하나님이 자신을 계시해주실 때 비로소 우리는 놀라움 속에 받아들일 뿐입니다.

마음열기

오벌린대학의 에드워드 보스워스 교수는 한 젊은이로부터 질문을 받았습니다.

'하나님이 교수님을 사랑한다는 것을 어떻게 아십니까?'

교수는 이렇게 대답했습니다.

'어느 날 나는 어린 소년이 연을 날리고 있는 것 보았네. 연이 얼마나 높이 떴는지 나는 그 연을 볼 수가 없었다네. 나는 그 소년에게 연이 하늘에 있다는 것 어떻게 아느냐고 물었지. 그랬더니 소년은 조금도 주저하지 않고 즉시, 연이 자기를 끌어당기는 것 느끼는 거라도 대답하더군.'

'그 소년이 연이 위에서 당기는 것을 느끼듯이, 나는 하나님의 사랑이 나를 계속 끌어당기고 있다는 것을 느낀다네.'

 당신은 하나님을 어떻게 경험하고 있습니까?

Q2 당신에게 하나님은 어떤 분이십니까? 삶 속에서 경험하고 있는 하나님에 대해 말씀해 보십시오.

말씀열기

하나님에 대하여 배우고 있는 우리는 이번 과에서 우리가 믿고 있는 하나님이 어떤 분이신가에 대하여 배우고자 합니다. 모든 만물을 지으시고 만물 위에 뛰어난 유일한 절대자이신 하나님은 영이시며 어디에나 계시며 인격적인 분이십니다. 우리가 하나님에 대하여 아는 것이 중요한 것은 그 분을 깊게 알아갈수록 우리가 하나님을 온전하게 섬길 수 있게 되기 때문입니다.

A * 하나님은 절대자이십니다

1. 하나님에게는 고유한 속성이 있습니다. 연결지어보십시오.

독립하심 *	*	모든 것을 알고 계십니다 (대상 28:9)
전능하심 *	*	모든 것을 하실 수 있습니다 (막 10:27)
전지하심 *	*	하나님은 한 분이십니다 (고전 8:6)
편재하심 *	*	하나님은 영원하십니다 (시 90:2, 4)
불변하심 *	*	하나님은 변함이 없으십니다 (단 6:25)
영원하심 *	*	하나님은 어디에나 계십니다 (렘 23:24)

2. 우리가 믿고 있는 하나님은?

> **막 10:27**
> ....
> ....

> **렘 23:24**
> ....
> ....

》 한 분이신 하나님은 못하시는 것이 없는 □□하신 분이십니다.
  그 분은 나의 과거와 현재, 미래의 모든 것을 알고 계신 □□하신 분이십니다.

그 하나님의 눈을 피해서 도망갈 곳은 이 세상에 전혀 없습니다.

왜냐하면 하나님은 어디에나 계시는 □□하시는 분이시기 때문입니다.

또한 우리는 정해진 시간 안에 유한하지만 하나님은 □□하신 분이십니다.

그 분은 회전하는 그림자도 없으실 만큼 절대 변하지 않는 □□하시는 분이십니다.

B＊하나님은 도적적 성품을 가지셨습니다

1. 하나님은 거룩하십니다.

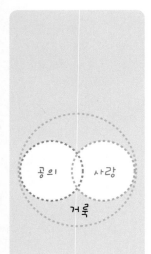

> 벧전 1:16

》》 하나님은 거룩하신 분이십니다. 악한 것과 간사한 것이 없는 거룩하신 하나님은 죄를 미워하십니다.

2. 하나님은 공의로우십니다.

> 신 32:4

》》 의로우신 하나님께서는 죄에 대한 대가를 반드시 물으십니다. 공의의 하나님은 우리가 바르게 살기를 원하시고 우리의 잘못을 뉘우치기를 원하십니다.

3. 하나님은 사랑이십니다.

> 요일 4:16

사랑의 하나님

아버지 하나님 : 사랑하는 분
아들 그리스도 : 사랑 받는 분
성령 : 사랑 그 자체
(어거스틴)

하나님의 사랑은 전능의 사랑입니다. 감상적인 사랑이나 무능한 사랑이 아닙니다.

요한복음 3:16

≫ 이 구절은 성경 중에서 가장 빛나는 귀한 보석입니다.

하나님을 떠난 죄인들을 구원하는 대사업은 하나님 편에서 착수하시었고, 구속하는 방법은 그 □□□를 세상에 보내어 □□□에 다는 일입니다. 그런데 그 구속사업의 동기는 어디까지나 하나님의 무한하신 □□에서 나온 것입니다.

그러므로 '나는 아버지이신 하나님을 믿는다' 는 신앙고백을 하는 것은, 곧 하나님께서 예수 그리스도를 통하여 사랑의 아버지로서 죄인 된 나를 찾아오시는 은혜를, 감사와 신뢰로써 응답하고 받아들인다는 뜻이 됩니다.

C * 하나님은 영이시면서 인격을 가지셨습니다

1. 하나님은 영이십니다.

요 4:24

≫ 하나님은 형체를 가지지 않으신 한없이 높으신 영으로 계십니다. 하나님은 우리의 눈으로 볼 수 없고 어떤 물질로도 이루어지지 않아 아무 것도 제약을 받지 않으시고 자유로우십니다.

2. 영이신 하나님을 아는 것은 영으로 알 수 있습니다.

고전 2:10 - 11

27

》》》 그렇다면 보이지 않는 영이신 하나님을 우리는 어떻게 알고 예배할 수 있겠습니까? 예수를 그리스도로 고백하는 사람들 속에 계시는 성령을 통하여 우리는 영이신 하나님을 더욱 깊이 알게 됩니다.

3. 하나님께서 인격을 지니셨다는 말은 무슨 뜻입니까?

》》》 인격은 아는 능력을 가집니다.
　하나님은 그의 우주를 아시며, 당신에게 속한 자녀들을 알고 계십니다. 하나님은 아버지로서 우리에게 다가오시는 인격적인 분이시며, 우리의 모든 필요와 상황을 아시는 분이십니다.
　하나님은 마음에 생각을 품으시고 드러내기도 하십니다.
　때로는 슬퍼하기도 하시며, 화도 내시고, 가슴 아파하기도 하십니다.
　하나님께서 나를 위하여 눈물을 흘리신다는 것을 상상해보셨습니까?
　하나님께서 감정을 드러내시는 것은 우리를 사랑하시기 때문입니다.

　인격이란 말은 활동하신다는 뜻도 됩니다.
　하나님은 이 세상을 지으신 후 방관하시는 분이 아니십니다. 하나님을 인격적이라고 고백하는 것은 우리의 모든 삶 속에서 일하심을 말하는 것입니다.

D * 하나님의 이름과 우리와의 관계성

》》》 우리는 하나님의 이름을 부르며 하나님과 교제를 갖습니다.
우리가 하나님을 호칭할 때 사용하는 하나님의 이름은 자연스레 우리가 마음으로 고백하는 하나님의 이미지와 관련이 있습니다.

◎ 엘로힘, 엘 :
　힘을 주시는 분
　모든 능력을 가지고 계시는 분

◎ 아도나이 : '주' 라는 뜻으로 모든 것의 주인이신 하나님
◎ 야훼(여호와) : 유대인에게 가장 중요하고 보편적으로 사용했으나,
　　　　　　　 감히 부를 수 없는 하나님의 이름이어서 '주님' 으로 읽었습니다.
　　　　　　　 이 명칭과 함께 사용된 것들에는 무엇이 있습니까?

◎ 아버지(아바) :
　어린아이가 솔직하고 기탄없이 신뢰와 친밀성을 가지고 아버지를 부르는 이 일상적인 가정 용어를 감히 하나님께 적용하였다는 사실은 놀랍습니다.

　　말 2:10

　　롬 8:14~15

　　갈 4:6

아버지 하나님
전지전능하신 하나님,
만물의 주인이신 하나님,
생명의 주인이신 하나님이 우리 영혼의 아버지 하나님이 되십니다.
그래서 우리 하나님께 대하여 생각할 수 있는 최상의 이름은 아버지입니다.
(루터)

생각열기

Q1　하나님은 당신에게 어떤 분이십니까?

Q2　어떻게 하나님을 부르고 계십니까?

Q3　'좋으신 하나님' (♪) 노래를 부르고, 한 주간 동안 어떻게 좋으신 하나님을 체험했는가를 서로 간증하며 나누어봅시다.

 다음 과를 준비하며

다음 과는 우리의 구원자 되시는 예수님이 누구신지를 배웁니다.

사무엘은 살아계신 하나님의 음성을 직접 들었다
"제사장님, 내가 이 아이를 주님께 바칩니다"
(삼상 1:26-28).

04 _1부 2권 1과 예수 그리스도는 누구신가

이 과의 주제 💬

우리의 구세주이신 예수님은 사람이시면서 동시에 하나님이시라는 것을 확실하게 공부합니다.

외울말씀 마태복음 16:16

마음열기

미국의 남북전쟁이 끝난 다음 월레스 장군과 로버트 잉거솔 대령이 함께 기차여행을 하게 되었습니다. 그들은 이런저런 이야기를 하다가 마침내 예수에 대한 이야기를 하게 되었습니다. 그들은 예수를 인간으로서의 예수, 친구로서의 예수, 인도주의자였던 예수로 단정했습니다.

그 때 잉거솔 대령이 월레스 장군에게 제의를 했습니다.

'장군님! 이 세상에는 무수히 많은 어리석은 사람들이 있습니다. 그들은 예수의 이적을 굳게 믿고 있습니다. 만일 장군님이 예수는 순박한 사람 중의 평범한 인간이었다는 것에 관한 글을 쓰면 그들이 정신을 차릴 겁니다.'

장군도 그 제안에 전적으로 찬성하였습니다. 그 후 얼마의 시간이 지난 다음, 퇴역한 장군은 예수에 대한 자료를 방대하게 수집하였습니다. 유럽과 미국의 유명한 도서관에서 기독교를 파괴할 자료를 찾으면서 2년을 연구했습니다.

그러나, '예수에 대한 이야기'라는 제목으로 예수의 인성을 주장하려던 월레스 장군은 그만 그 책의 제 2장을 쓰다가 생각이 달라져 무릎을 꿇고 예수께 '나의 주, 나의 하나님'하고 크게 울부짖었습니다. 그리스도의 신격이 어쩔 수 없이 확증되었던 겁니다.

'예수는 하나님의 아들이며 곧 하나님 자신이다.'

Q1 예수님은 어떤 분이시라고 생각하십니까?

Q2 '주여! 당신은 지금 내게 누구십니까?' 생명을 걸고 물어봅시다.

말씀열기

　　지난주에는 우리가 하나님의 존재를 믿는 이유에 대해서 살펴보았습니다. 이번 과에서는 성 삼위일체 하나님 가운데 제 2격이신 예수님에 대해서, 특별히 그분의 신성과 인성에 대해서 배우게 될 것입니다.

A * 예수님은 사람이시면서 동시에 하나님이십니다

　　요일 5:20

>>> 일부의 사람들은

　예수는 '존경의 대상' 이지 '신앙의 대상' 은 되지 못한다고 합니다.

　예수님을 '과거의 인간' 으로 이해하고,

　'하나님의 아들' 로 인정을 하지 않겠다는 겁니다.

　그러나 성경은 예수님은 참 인간이시고, 참 하나님이라고 말씀하고 있습니다.

　　요 3:16

>>> 하나님께서 독생자를 주셨다는 말씀은 하나님의 사랑을 나타내는 것입니다.

　하나님의 외아들이라는 말은 하나님과 비슷하다는 말이 아닙니다.

　예수님이 곧 하나님이라는 의미입니다.

　외아들이란 '하나밖에 없는 아들' 이라는 뜻이 아니라,

　'하나님을 대표하는 아들' 이라는 말입니다.

　'외아들' 은 숫자적인 개념이 아닙니다.

　그래서 우리는 하나님을 믿는다고 하고, 예수를 믿는다고도 하는 것입니다.

그리스도교의 중심

그리스도교의 중심은 그리스도입니다. 그리스도에 대한 정확한 이해가 없거나, 그리스도와의 관계를 올바르게 이해하지 못하면 제대로 그리스도인이 될 수 없습니다.
(요 10:23-38)

B* 예수님은 하나님과 동일한 존재입니다

> 요 1:1-3

참조 성경
요 1:1-3, 8:58
요 14:9, 14:6, 8:12, 9:5, 11:25
요 3:16, 14:13, 10:11, 15:5,
  6:48
요 4:10, 14:27
눅 7:47-49, 마 17:23
마 26:63-64, 행 1:9-11
요 14:3, 마 13:36-43, 24:35
마 9:9, 10:38, 16:24, 8:22
마 11:29, 11:28, 9:23
눅 14:33, 마 19:23

》》 우리는 하나님과 그리스도가
본질적으로 동일한 존재의 근원에 속한다고 믿으며,
말씀으로서의 그리스도가 하나님과 같이 계셨을 뿐만 아니라,
그 분이 곧 하나님이라고 믿습니다.
즉 그리스도는 예수의 몸을 가지고 이 세상에 오시기 전에
하나님과 함께 계셨으며, 존재나 시간이 생기기 전에 이미 존재하셨습니다.
그리스도는 자신을 하나님이라고 주장하셨고,
하나님만 할 수 있는 일을 행하셨으며,
제자들에게 그를 하나님이라고 믿게 하였고, 그렇게 전하게 하였고,
그렇게 체험하게 하셨습니다.
아들이란 빼앗아서 되는 것이 아니고
본래부터 아들로서 태어나야만 가능한 것입니다.
따라서 예수께서 하나님의 아들이심은 본래적인 것이지 우연적일 수 없습니다.

C* 예수님은 사람의 모습으로 이 땅에 오셨습니다

> 딤전 2:5

》》 예수님이 부활하시고 승천하신 사실은 예수님이 사람이었다고 말하기 어렵게 합니다. 그 분의 행하신 일이 인간이 할 수 없는 일이 아니라고 생각하기 때문입니다. 그래서 예수님은 육체를 가지신 분이 아니라고 생각을 하는 경우가 있습니다. 그러나 예수님은 사람의 몸으로 이 땅에 오셨습니다.

빌 2:6-8

성육신
성육신(成肉身)
수육신(受肉身)
화육(化肉) 도성인신(道成人身)

>>> 즉 인간의 몸을 입고 우리 가운데 오신 것입니다. 인간이 하나님이신 예수님을 두려워 않고, 그 분을 뵐 수 있는 것은 사람이 신처럼 되는 것이 아니라, 하나님이신 예수님이 인간의 옷을 입고 이 땅에 오시는 것입니다.

D* 예수님은 친히 당신 자신을 인자라고 하셨습니다

마 24:30

>>> 예수님은 친히 자신을 인자(人子, Son of Man)라고 하셨습니다. 예수님이 자신을 가리켜 사람의 아들이라고 하신 것입니다.
　예수님에게 있는 인간의 특징들 : 여인의 몸을 통해 탄생하시고, 지혜와 키가 자라났고, 시험을 받으셨으며, 배고픔, 목마름, 피곤함을 느끼셨습니다. 때로는 노하시고, 괴로워도 하시고, 근심하시고, 죽으셨습니다.

눅 1:31, 35

>>> 우리 예수님은 여자의 몸을 빌려 이 땅에 탄생하셨지만, 성령으로 잉태되신 분이십니다. 이 땅에 특별한 방법을 통해서 오셨습니다. 일반적인 방법을 택하지 않고 특별한 과정을 통했다는 것은, 사람에게서 나시되 사람이 아님을 증거하는 표적인 것입니다.
　예수 그리스도는 한 마디로 어떤 분이십니까?

예수님은 참 하나님시며, 참 사람이십니다.
Vere Deus Vere Homo – True God True Man

E* 이제 우리의 선택만이 남아 있습니다

》 예수는 하나님임을 주장했습니다.
그렇다면 두 가지 가능성이 있습니다.
하나는 그 주장이 그릇된 경우입니다.
 여기에 또 다시 두 가지 가능성이 있습니다.
 하나는 그는 그의 주장이 그릇된 것을 알고 있는 경우입니다.
 그는 정교한 허위 진술을 만들어냈습니다.
 그는 사기꾼입니다.
 그는 위선자입니다.
 그는 악마입니다.
  영생을 위해 자신을 믿으라고 했기 때문입니다.
 그는 바보입니다.
  왜냐하면 그것을 위해 죽었기 때문입니다(막 14:61-64, 요 19:7).

또 다른 가능성은 그가 자신의 주장이 그릇된 것을 모르는 경우입니다.
 유일신을 매우 극렬하게 주장하는 문화 영역의 사람들에게 자신이 하나님이라고 말하며,
자신을 믿는 신앙이 그들의 영원한 운명을 달라지게 한다고 말했다면, 그는 환상에 빠진 정
신이상자입니다. 그는 미치광이입니다.

그러나 여기에 또 다른 가능성이 있습니다.
그것은 그 주장이 참되다는 것입니다.
그렇다면 그는 주님이 맞습니다.

 여기에 두 가지 가능성이 있습니다.
 하나는 당신이 그 사실을 받아들이는 경우입니다.
 그 경우에는 영생을 얻습니다.
 하지만 당신이 그 사실을 거부할 수도 있습니다.

그렇게 되면 당신은 영원한 멸망에 이르게 되는 것입니다.

중간적 태도는 있을 수 없습니다.
지금 선택할 일입니다.

선택하라

* 사기꾼　------------------- ☐
* 정신병자　------------------ ☐
* 사실 : 하나님　------------- ☐

생각열기

Q1　왕자가 시녀에게 사랑을 표현하는 방법에는 무엇이 있을까요?

Q2　천한 마부가 자기 주인집의 도령보다 이웃 대장간의 대장장이와 더 친한 까닭은 무엇입니까?

Q3　신병교육대에서 중대장이 훈련병이 되어 직접 체험해본 이야기나, 학생이 되어본 교수의 이야기를 예로 들어봅시다.

다음 과를 준비하며

다음 과에서는 예수께서 하신 일에 대해서 살펴볼 것입니다.

성육신
공장 직공의 형편을 알기 위해
기름때 묻은 옷을 입고 찾아온
임금님
(키에르케고르)

05 _1부·2권·2과 예수께서 하시는 일

이 과의 주제 💬

예수 그리스도는 이 땅에서 많은 일을 하셨습니다. 뿐만 아니라 지금도 그리고 앞으로도 하실 일이 있으십니다. 그것이 무엇인지 살펴봅시다.

외울말씀 로마서 5:8

마음열기

나는 베들레헴에 나신 아기가
하나님의 성품 어디에 속하는지 잘 알지 못해도
나는 한 가지 아는 것이 있노라
그 아기가 나에게 하나님의 삶을 가져다주었음을...

나는 갈보리산의 십자가가
죄로부터 세상을 구원하는지는 잘 알지 못해도
나는 한 가지 아는 것이 있노라
그 십자가는 나에게 하나님의 사랑을 가져다주었음을...

나는 아리마대 요셉의 무덤이
죽음의 신비를 풀어 주었는지는 잘 알지 못해도
나는 한 가지 아는 것이 있노라
예수의 부활은 우리에게 영원하시는 하나님의 삶을 약속해 주셨음을...
(Harry Farrington)

Q1 예수님은 어떤 일을 하셨다고 알고 계십니까?

Q2 주님이 다시 오실 때 우리는 어떻게 영접해야 하겠습니까?

말씀열기

말씀을 열기 전에 우리 함께 사도신경을 외워봅시다.
여기에 나타난 예수 그리스도의 하신 일에 관해 짚어봅시다.
이 땅에서의 예수 그리스도,
오늘과 내일의 예수 그리스도에 대해서 살펴보겠습니다.

A * 죄인 된 우리를 구원하시기 위해 죽으셨습니다

1. 구약의 율법을 완성하심으로 하나님의 뜻을 알려 주셨습니다.

> 마 5:17

≫ 예수님은 율법을 바로 가르쳐주셨습니다. 율법의 근본정신을 알려주시고, 또한 율법을 지키는 모범을 보여 주셨습니다. 주님은 율법을 폐하시려고 오신 것이 아니라, 완성하시기 위해서 오셨습니다.

2. 그런데 율법의 최종완성은 곧 십자가의 죽으심입니다.

> 롬 5:8

벧전 2:24

‥‥‥‥‥‥‥‥‥‥‥‥‥‥‥‥‥‥‥‥‥‥‥‥‥‥‥‥‥‥‥‥‥‥‥‥‥‥‥

>>> 인간이 죄를 범했기 때문에 결과적으로 죽을 수밖에 없는 존재입니다.

인간의 힘만으로는 도저히 이 죽음의 상황에서 벗어날 수 없었습니다.

그리하여 하나님 자신인 그리스도가 인류 역사에 들어와

구원의 대사업을 수행하시었습니다.

십자가의 죽으심은 죄를 심판하시는 하나님의 공의와,

인간을 구원코자 하는 하나님의 사랑을 동시에 만족시키는 사건입니다.

기독교의 진리는 십자가에 죽고 장사되고, 그 다음에 살아나는 것입니다. 죽지 않는 이적
을 나타내는 것이 기독교 진리가 아니라, 죽은 다음에 살아나는 부활의 능력이 기독교의 진
리입니다.

3. 예수는 우리의 주님으로 계십니다.

마 16:16

‥‥‥‥‥‥‥‥‥‥‥‥‥‥‥‥‥‥‥‥‥‥‥‥‥‥‥‥‥‥‥‥‥‥‥‥‥‥‥

>>> 이 베드로의 신앙고백 위에 기독교회가 세워졌습니다.

이러한 신앙고백을 하는 사람만이 예수 그리스도의 교회에 속하고, 예수 그리스도의 공동
체의 일원이 되는 것입니다. 아무리 예배에 참석하고, 세례를 받고, 기독교 신앙의 가르침
을 받고, 입교를 하고, 예수를 특별히 거룩한 사람으로 존경하고, 인류 중에서 가장 위대한
최선의 인간으로 존경할지라도, 예수를 나의 구주로 인정치 않는다면, 그는 예수 그리스도
의 공동체에 속할 자격이 없습니다.

B * 부활하심으로 영원한 생명의 보증을 주셨습니다

고전 15:20

‥‥‥‥‥‥‥‥‥‥‥‥‥‥‥‥‥‥‥‥‥‥‥‥‥‥‥‥‥‥‥‥‥‥‥‥‥‥‥

‥‥‥‥‥‥‥‥‥‥‥‥‥‥‥‥‥‥‥‥‥‥‥‥‥‥‥‥‥‥‥‥‥‥‥‥‥‥‥

물고기
익투스(ichthus)

주님
'시이저 주님!'
'주님 시이저!'

부활은
꽤 장수하는 거짓말
역사를 개조하는 능력
목숨을 걸고 순교한 사람들

≫≫ 예수 그리스도의 부활사건과 기독교는, 공존하거나 혹은 함께 붕괴합니다.
   부활사건과 기독교는 불가분의 관계에 놓여 있습니다.
   기독교는 예수의 부활로 시작됩니다. 부활을 믿으면서 기독교가 시작합니다.
   부활의 생명, 부활의 능력 그 후에 기독교가 있습니다.
   기독교는 부활의 종교입니다.
   모든 종교가 '죽음'에서 생의 의미를 찾지만,
   기독교는 오직 '부활'에서 생의 의미를 찾습니다.
   우리를 위하여 죽으신 분이 부활하셨다는 것은,
   우리의 죄가 용서받았다는 것을 의미합니다.
   또한 예수의 부활은 우리에게 있을 부활의 능력을 확실하게
   예고해주시는 약속이기도 합니다. 부활을 약속하는 사인입니다.

> **롬 6:8**

> **부활사건과 기독교**
> 부활에 대한 신앙은
> 기독교 신앙의 주요 본질이다.
> 그리고 부활신앙이 사라지면
> 모든 것은 파멸하게 된다.
> (H. P. Liddon)

C * 승천하신 주님은 하나님 우편에서 우리를 위해 지금도 기도하십니다

≫≫ 부활하신 주님께서는 제자들이 보는 앞에서 들려 올라가셨습니다(행 1:9-11).
주님이 승천하셨다는 것은 어떤 의미가 있습니까?

1. 하나님의 우편에 계시다는 것은 그가 곧 〈왕〉이라는 뜻입니다.

≫≫ '하나님의 우편에 앉아 계신다'는 말은 곧 권세를 의미합니다.
   하나님의 보좌 옆에 계시다는 것은
   그리스도의 주권과 그 전능한 힘 및 그 권위를 나타내는 것입니다.
   이는 곧 부활하사 승천하신 그리스도가 하나님의 권능으로,
   하나님의 권세로 계심을 의미하는 것이요,
   온 세계 역사의 주권자 되심을 상징합니다.
   승천은 참 부활의 뜻을 온 천하에 일러주는 것입니다.

2. 승천하신 예수는 오늘도 우리의 〈제사장〉이 되심을 말합니다.

> 롬 8:34

》》 하나님의 우편에 앉아 계시면서 우리를 위하여 주님은 기도하고 계십니다.
우리의 죄를 대신 고백하며 사함을 받게 하기 위하여 기도하시면서
중보자의 역할을 하십니다.

3. 예수께서 〈선지자〉로 계심을 의미합니다.

》》 영으로 오셔서 모든 사람들에게
감화와 감동을 주시는 신령한 선지자로서 역할을 하고 계십니다(요 14:16, 16:7).
예수님은 멀리 계신 것이 아닙니다. 성령을 통하여 우리 가운데 계십니다. 그리고 지금 하늘나라에서 하나님과 더불어 성령을 통하여 교회를 돌보시며 이끄십니다. 모든 인류의 구원을 위하여 구주로서의 사명을 시공간의 제한을 받지 않고 감당하고 계신 것입니다.

D* 그리스도는 장차 이 세상에 다시 오십니다

》》 성경은 우리에게
주님이 분명이 이 땅에 다시 오실 것에 대해서 말씀해 주고 계십니다.
왜 주님은 이 땅에 다시 오십니까?

1. 구원하시려고 오십니다.

> 히 9:28

2. 세상을 심판하러 오십니다(롬 2:16).

3. 그리고 이제 세상을 통치하실 것입니다.

>>> 십자가에 돌아가신 주 예수 그리스도, 그 사랑의 예수께서 어떻게 만민을 심판할 수 있을 까요?

하나님의 진노가 바로 그 십자가에 나타났음을 기억해야 합니다. 자기의 독생자를 십자가에 못 박아 죽이면서까지 그의 공의를 실현시키고 의를 이루시는 하나님이십니다. 하지만 예수의 재림은 그의 영광과 승리와 사업의 완성을 의미하는 것입니다.

계 22:20

생각열기

Q1 예수님께서 어서 속히 오셨으면 좋겠습니까?
그 이유는 무엇입니까?

Q2 나는 언제쯤 주님을 맞이하게 될 것 같습니까?

다음 과를 준비하며

다음과는 삼위일체와 성령에 관해서 공부하겠습니다.

재림시

심판을 받을 때, 매만 맞는다고 생각해서는 안 됩니다. 심판을 받아야 상도 받습니다.

* 마라나타!

동정녀 마리아에게서 나신 말구 유 위의 구주예수
"구주가 나셨으니 그는 곧 그리스도 주님이시다"
(눅2:11).

06 _1부 3권 1과 삼위일체와 성령

이 과의 주제 💬
성부 성자 성령 삼위일체 하나님과, 삼위이신 성령의 임재와 그 다양한 명칭을 알기 원합니다.

외울말씀 요 14:16-17

마음열기 │　　박장원 목사님이 쓰신 〈목숨을 걸고〉라는 책에 나오는 내용입니다. 한번은 직행버스를 타고 충주로 향했다고 합니다. 바로 옆 좌석에 어린애를 업은 한 여인이 앉았는데 시장바구니 속에 기저귀 보따리와 성경 찬송이 있었습니다.

'나는 목사라도 성경 찬송 없이 여행을 떠났고 버스에 타고서도 은혜 없는 목사라 기도 한번 안 했으나, 이 여인은 어린애를 앞으로 돌려 안고 젖을 물린 다음 두 손을 마주잡고 기도를 시작하는데 온몸을 흔들며 내가 가장 질색하는 방언기도를 했습니다. 자칭 인텔리 목사였기에 이러한 광신의 태도가 못마땅했습니다.'

한참 기도하던 이 여인이 벌떡 일어나더니 차장에게 '나 여기서 내려 줘!' 라고 하니 직행이라 안 된다고 했습니다. 또 기도하더니 급한 일이니 내려달라고 했습니다. 그 광경을 지켜보던 박 목사님은 민망해서 혼났습니다.

'무식한 여인 같으니! 직행버스를 타고 도중에 내려 달라고 하면 어떡해.'

속으로 투덜댔습니다. 그런데 다시 기도하고 가더니 '하나님이 급히 내리래' 라고 하자 운전기사가 내려주었습니다.

여인이 내린 뒤 1분 정도 지나자 달리던 버스가 옆으로 기우뚱 하더니 밑으로 구르기 시작했습니다. 교통사고였습니다.

Q1 당신이 그 여인과 함께 버스에 탔다면, 당신은 그 여인을 보면서 어떤 생각이 들었겠습니까?

Q2 무식하게 보이던 여인에게 위험한 상황을 피할 수 있도록 성령께서 알려주셨다면, 왜 목사님에게는 알려주지 않으셨습니까?

Q3 우리는 실제적으로 얼마나 하나님의 영의 임재를 경험하고 살아가고 있습니까?

말씀열기

삼위일체 교리는 기독교 신앙의 본질적인 교리입니다. 이것은 하나님의 본질을 표현합니다. 성령은 하나님의 본질 중 하나로, 하나님은 지금도 성령을 통해 일하십니다.

A * 삼위일체 하나님

1. 삼위일체란 무엇일까요?

고후 13:13

≫ 기독교의 신관은 창조주 하나님과, 구세주로서의 예수님, 그리고 역사 속에서 인간들에게 구원을 이루게 하시는 하나님의 영이신 성령이, 한 분 하나님이심을 믿는 것입니다.

　이 세 분이 한 하나님 안에 계시며, 한 하나님은 세 분으로 일하신다는 것을 우리는 □□□□의 하나님이라고 합니다.

　하나님의 본성, 즉 □□은 하나이지만, 세 개의 다른 □□을 가지고 계신 것을 말합니다.

43

God For Us
God With Us
God In Us

2. 그렇다면 삼위일체를 어떻게 설명할 수 있을까요?

＊빛 열 힘(자외선)
＊액체 고체 기체
＊영 혼 육
＊ 1X1X1=1
삼위일체의 교리는 사변적 신학의 결과가 아니라 세례고백의 결과라 할 수 있습니다.

> 마 28:19

3. 성경은 삼위의 각 인격들에 대해 각각 이해하려는 것보다는, 그 인격들을 찬송할 것을
촉구하고 있습니다.

> 엡 1:3-14

성령에 대한 오해
1) 성령은 유령(ghost)이다
2) 성령은 영적 그림자나 단순한 영향력에 불과하다
3) 성령은 단순한 종교적 영감이나 감화력이다

B＊인격적인 하나님이신 성령

》》 성령을 모호하고 희미하며 비인격적인 분으로 생각할 수 있습니다. 그러나 성령님은 인격적인 하나님이십니다.
그리스도인들이 성령에 대하여 가져야 할 태도에 대해 살펴보겠습니다.

성령에 대한 바른 이해
1) 성령은 성부 하나님(제1위)과 성자 예수님(제2위)과 동등하신 분이시다.
2) 성령은 하나님의 모든 속성을 갖고 계신 분이시다.
3) 성령은 무한한 지성과 감정을 소유하고 계신 인격이시다.

1. 그리스도인은 성령을 거역해서는 안 됩니다.

> 마 12:31-32

>>> 우리는 성령님의 도움 없이는 하나님을 만날 수가 없습니다.
성령을 통해서 예수님도 만날 수 있습니다.

2. 그리스도인은 성령을 슬프게 하지 말아야 합니다.

`엡 4:30`

>>> 부모님에게 걱정을 끼쳐 드리지 않는 것이 자녀의 도리인 것처럼
우리들도 성령을 슬프게 해서는 안 됩니다.

3. 그리스도인은 성령을 소멸하지 말아야 합니다.

`살전 5:19`

>>> 성령의 음성에 귀를 막는 것, 성령의 메시지를 받아들이지 않는 것, 성령의 방법에 대해
의심하거나 멸시하는 것 등은 마치 성령의 불꽃을 꺼버리는 것과 같습니다.
성령께서 신호를 보낼 때 무시하지 마십시오.

C * 성령의 오심과 명칭

>>> 성령을 가리키는 낱말로는 다음과 같은 것들이 있습니다.
□□□ : 원래는 '바람', '호흡'이란 뜻으로 사용되다가 다시 '영'이란 뜻으로 사용되는
말입니다.
□□□ : 앞 것과 같은 뜻으로, '바람'이라고 번역되었습니다.
□ : 성경에서 이 말이 사용될 때는 언제나 권능과 힘이라는 의미와 함께 사용하였습니다.
□□ : '영'이라는 말과 함께 하나님을 가리키는 말로 사용되었습니다.

그런데 특별히 예수께서는 성령을 □□□ 라고 부르셨습니다.

보혜사
이스라엘의 가정교육방식에서
보는 보혜사의 역할
아버지와 어머니의 역할분담

요 14:16

》》 보혜사란 그리스도인의 친구로서 늘 곁에 계신 분, 그리스도인을 힘 있고 강건하게 하시며 능력을 주시는 분이라는 뜻입니다. 보혜사 성령께서는 우리의 위로자, 상담자, 곁에 있는 친구, 편들어 주시는 분, 협조자가 되시는 분입니다.

성령의 별칭과 그 의미 그리고 해당 성경구절을 연결해 보십시오.

성령의 명칭
하나님의 성령
예수 그리스도의 영
생명 진리 은혜 약속 성결 소멸
대언 영광 계시 총명 재능

성결케 함 *	* 비둘기 *	* 마 3:16
정하고 순함 *	* 물 같음 *	* 행 2:3
사르고 연단시킴 *	* 바람 같음 *	* 마 25:4, 눅 4:18
능력을 줌 *	* 불 같음 *	* 요 7:38 - 39
심령을 적심 *	* 기름 같음 *	* 행 2:2
윤활하게 함 *	* 비 같음 *	* 행 2:12 - 13
근심제거와 담력 *	* 술 같음 *	* 호 6:3
생명보존 *	* 도장 같음 *	* 욥 34:14
약속과 보증 *	* 기운 같음 *	* 엡 1:13

》》 하나님께서 천지를 창조하실 때에도 성령이 함께 하셨고,
선지자들에게도 성령은 역사하셨습니다.
여기서는 예수님께서 돌아가신 이후에
성령님께서 오신 이유에 대해 생각해 보겠습니다.

1. 복음적인 기능을 감당하시기 위해서 오셨습니다.

요 16:7

2. 예수 그리스도를 증거하시기 위해서 오셨습니다.

> 요 15:26

>>> 예수님은 하나님을 드러내시기 위해 이 땅에 오셨습니다.
성령은 예수 그리스도를 증거하시기 위해 오셨습니다.
성령은 진리의 영입니다(요 14:17).
그러므로 진리 되신 예수 그리스도를 드러내시는 분입니다.
예수께서 우리를 고아처럼 버려두지 아니하시고
다시 오실 것을 깨닫게 하시는 분입니다(요 14:18, 16:13).

3. 예수 그리스도를 영화롭게 하시기 위해서 오셨습니다.

> 요 16:14

생각열기

성령의 교리가 무시된 창조의 교리는 시계 제작자가 시계를 만드는 것에 비교할 수 있습니다. 시계 제작자는 시계를 만든 이후 저절로 돌아가도록 내버려두고 상관하지 않는 것처럼, 이 세상을 만드신 하나님이 우주만물이 알아서 돌아가도록 하셨고, 더 이상 상관하지 않는 것과 같은 원리입니다. 그러나 하나님은 성령을 통해 오늘도 세상을 다스리며 창조하십니다.

Q1 당신에게 성령님은 어떤 분이십니까? 인격적인 하나님으로 믿고 따르고 계십니까? 아니면 내 소원을 이루어 주는 도구로 생각하고 계신 것은 아닙니까?

Q2 성령에 대한 호칭(별명)들 중에 당신에게 의미가 있는 호칭이 있다면 무엇입니까?

다음 과를 준비하며

다음과에서는 성령이 하시는 일에 대해 배우게 됩니다.

시계 제작자

07 _1부 3권 2과 성령이 하시는 일

이 과의 주제 💬
성령께서 하시는 일(그리스도인과의 관계)에 대해 살펴봅니다.

외울말씀 고린도전서 12:3

마음열기

　전기불이 우리나라에 들어온 지 얼마 되지 않았을 때 시골에 사는 한 노인이 서울 아들집에 갔다가 밤에 전깃불을 처음 보았습니다. 그 밝기가 대낮 같았습니다. 이 노인이 하도 신기해서 그것을 자세히 살펴보았습니다. 그랬더니 전구, 소켓, 전선이 전부였습니다. 시골로 돌아가는 길에 아들에게 그걸 부탁했습니다.

　그리고 시골로 돌아와서 동네 사람들에게 햇빛 같은 전깃불을 샀노라고 자랑을 했습니다. 그리고 그 날 저녁 어두워지면 자기 집으로 오라고 했습니다. 대낮같이 밝은 빛을 보여주겠다고 큰소리쳤습니다. 노인은 전선을 연결한 뒤 스위치만 올리면 불이 켜지도록 만반의 준비를 해두었습니다.

　드디어 저녁이 되었습니다. 동네 사람들이 모였습니다. 우주선을 발사하는 기분으로 사람들은 카운트다운을 했습니다.

10, 9, 8, 7, 6, 5, 4, 3, 2, 1, 0!

　어떻게 되었을까요? 스위치를 올렸지만 불은 들어오지 않았습니다.

Q1 왜 불이 들어오지 않았습니까?
전기선을 마당에 늘어놓은 빨랫줄에다가 매어 놓았기 때문입니다.
전기를 공급해주는 발전소와 연결된 전선이 아니었던 것입니다.
성령님은 힘을 공급해 주는 발전소와 같은 분입니다.
당신은 성령님과 연결되어 있습니까?

말씀열기

　　　　태양에서 나오는 빛과 열과 자외선 등은 우리에게 직접적으로 영향을 주고 있습니다. 하지만 태양은 인격을 가지지 않았습니다. 그러나 하늘에 계신 우리 하나님 아버지께서는 성령으로 우리 안에서 역사 하시는 것입니다.

　이번 과에서는 교회 안에서 활동하시는 성령의 역사와 성도들 가운데 역사하시는 사역에 대해 살펴보겠습니다.

A＊교회 안에서 활동하시는 성령

1. 성령은 교회 신조의 수호자이십니다.

》》 성령님은 교회의 결정을 이끌어 주십니다. 우리는 사도행전에 나오는 교회가 결정한 일들은 성령님의 인도하심에 의한 것임을 알 수 있습니다. 복음을 전하기 위해 이방인에게 접근한 일이라든가, 전도자를 세운 일, 또는 예루살렘 회의에서 가결한 세 지침(행 15:28 - 29)은 모두 성령님의 인도하심이었습니다.

2. 성령은 교회로 하여금 선교하게 하시는 분이십니다.

> 행 1:8

》》 성령이 임하시면 주님의 증인이 됩니다. 성령의 인도하심이 없었다면 교회는 유대교의 한 분파에 불과했을 것입니다. 그런데 성령님의 도우심으로 온 세계는 복음을 접할 수 있게 되었습니다.

　연구하고 토의하는 것은 좋은 일이요 필요한 일이지만, 그러나 성령께서 그 일에 함께 하여 주시지 않는다면 모두 헛된 일일 수밖에 없습니다.

기도와 휴대전화
* 공통점 :
* 차이점 :

3. 성령 안에서만 하나님께 참으로 예배할 수 있습니다.

요 4:24

》》 성령 없는 예배에도 외형적인 아름다움이 있을 수 있습니다. 그러나 그곳에는 능력이 없습니다. 참다운 예배는 성령 안에서 드리는 예배, 하나님의 영으로 드리는 예배입니다(빌 3:3). 거기엔 사람을 변화시키고, 치유하는 능력이 있습니다.

4. 성령으로부터 교회의 교제와 통일이 이루어집니다.

코이노니아
* 결혼
* 사업상 동업
* 동창관계
* 사회 정치적
* 종교적 코이노니아

》》 우리는 사도신경에서 이렇게 고백합니다.
"성령을 믿사오며, 거룩한 공회와 성도가 서로 교통하는 것을 믿습니다."
성령과 교회의 관계를 고백하고 있습니다(마 16:13-20).
성령이 떠난 교회는 교회일 수 없습니다. 성령께서 함께 하시지 않으시면 교회 안에서 참다운 교제가 있을 수 없습니다. '분리'는 자연적인 인간의 특성이며 '통일'은 그리스도인의 특성입니다(요 13:35).

5. 성령으로부터 교회 안에 여러 가지 은사가 주어집니다.

고전 12:7

고전 12:11

》》 신앙의 세계에는 새로운 창조 사건이 있고, 변화가 있고, 치유가 있고, 기도의 응답이 있고, 체험이 있습니다. 이 신령한 세계의 신비를 무시하고서 기독교는 존재할 수 없습니다. 신앙에는 인간의 지식으로 논할 수 없는 성령의 역사가 있습니다.

B * 사람들을 거듭나게 하시는 성령

> 요 3:5

_____

_____ 🖋

≫ 성령님은 우리로 하여금 그리스도를 알게 하시고 거듭나게 하십니다. 우리가 거듭나게 되는 것은 우리가 의로운 행동을 했기 때문이 아니라 전적으로 하나님의 은총임을 성령님이 알게 해주십니다(딛 3:5-7). 우리가 복음을 듣고 믿음으로 의롭게 되었다는 사실을 성령이 보증해 주시고(엡 1:13-14), 또한 우리가 하나님의 자녀임을 증명하십니다(롬 8:16). 성령이 임하실 때 나타나는 두 가지 큰 현상이 있습니다.

1. 회개하게 하십니다.

> 요 16:8

_____

_____ 🖋

≫ 사람이 양심의 가책을 받거나 내적인 갈등을 느끼거나 후회 또는 참회를 할 때 이것도 성령의 은혜입니다. 성령이 임하시면 마음에 찔림을 받고 죄를 죄로 알게 됩니다(행 2~3장).

2. 믿음을 갖게 하십니다.

> 엡 2:8

_____

_____ 🖋

C * 성도들이 영적생활을 하도록 일하십니다.

> 갈 5:22-23

_____

_____ 🖋

앞선 은혜
prevenient grace
선재은총(先在恩寵)

≫ 사람이 그리스도를 영접할 때 성령은 그 사람의 마음속에 있게 됩니다. 그리하여 성령께서 우리 생활 가운데 오셔서 우리의 생활 전체를 주관하시게 될 때 우리는 아름다운 생활을 할 수 있습니다.

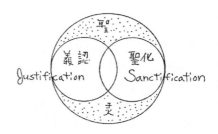

의인(義認)과 성화(聖化)

믿음으로 우리가 의롭게 되는 일과, 성도로서 거룩하게 되어 가는 일은 구별됩니다. 이 두 가지를 시간적으로 구별하기는 어려울지 모르나, 그 본질은 다릅니다.

활동의 주체에 있어서 의인은 그리스도의 객관적 역사에 의존하고

성화는 성령의 주관적 역사에 의존합니다.

의롭게 되는 것은 우리의 상대적 변화를 의미하고

거룩하게 되는 것은 우리의 실질적 변화를 초래합니다.

새로 태어남은 최초의 과격하고 갑작스런 변화이고

성화는 점진적으로 전진하는 과정이라고 할 수 있습니다.

은혜 안에서의 꾸준한 성장이 필요합니다.

그런데 이 '성화의 구원'을 이룸에 있어서도 하나님만이 하실 수 있습니다.

즉 '성결케 하시는 영'의 역사에 의한 것입니다. 성령으로 거룩하게 된다는 말은 성령의 권능에 의하여 거룩하게 된다는 뜻입니다.

＊부활절 없는 오순절은 신비주의에 빠집니다.

　그런가 하면 오순절 없는 부활절은 객관성에 치우치게 되어 결국은 우리와 관계가 없는 것이 되고 맙니다. 부활사건이 신앙사건으로 변하기까지에는 □□□의 역사가 있는 것입니다.

＊성령은 '감각의 대상' 이 아니고 '신앙의 대상' 이십니다.

　영의 세계를 인정하지 않는 사고를 '이성주의' 라고 합니다.

　이성주의의 반대가 '신비주의' 입니다.

　'신본주의' 는 모든 것을 하나님 중심으로 여깁니다.

＊삼위일체 하나님은 기독교 복음의 원자 진리가 되십니다.

　핵은 사용하지 않고 소유만 하여도 적이 덤비지 못합니다.

　그리스도인에게 있어서 핵이란

　　　　　□□□ 께서 우리의 아버지이신 것

　　　　　□□ □□□□께서 우리의 구주 되신 것

　　　　　□□께서 우리의 마음에 내주하신 것입니다.

생각열기

Q1 우리 안에서 활동하시는 성령님을 체험해 보셨습니까?

　　생각하지 못했던 죄를 회개하는 체험

　　믿음의 확신이 생기는 체험

　　성품이 변화되는 체험

　　그리고 다양한 은사의 체험에 대해 서로 나누어 보십시오.

다음 과를 준비하며

죄 가운데 빠진 인간에게 필요한 구원의 은총에 대해 배웁니다.

성령의 보배성

그분의 귀중함을 알게 될 때의 변화

잠깐 쉬어간 자리도 명소가 된다면, 우리 안에 항상 머무신다는 것은 얼마나 놀라운 일인가?

이삭의 아내를 데려온 늙은종은 성령님을 뜻한다

"그가 바로 주님께서 이삭의 아내로 정하신 여인인 줄로 알겠습니다"(창 24:14).

믿음의 기초 * 확신편

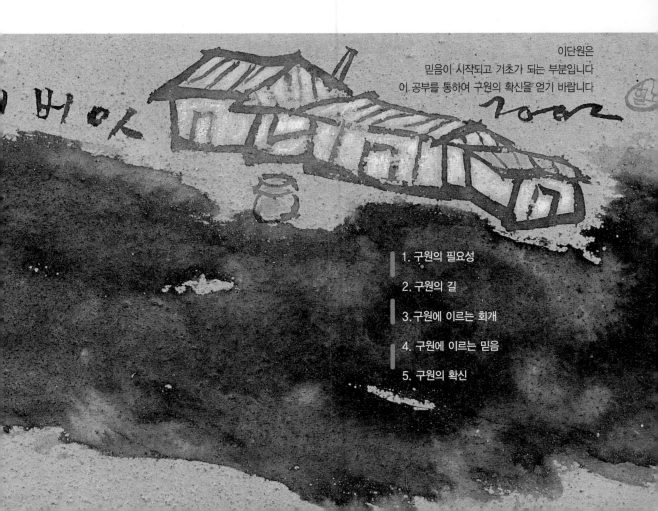

이단원은
믿음이 시작되고 기초가 되는 부분입니다
이 공부를 통하여 구원의 확신을 얻기 바랍니다

08 _2부1권1과 가장 근본적 문제인 죄

이 과의 주제 💬

죄의 결과는 죽음과 심판이며, 죄인은 그 죽음과 심판을 피해 갈 수 없습니다.

외울말씀 로마서 3:10-12

마음열기

어떤 사람이 탈무드를 공부하고 싶어서 한 랍비를 찾아갔습니다. 그런데 랍비는 탈무드를 공부하기에 앞서서 공부할 자격이 있는지 테스트를 하겠다고 했습니다. 랍비가 시험문제를 냈습니다.

'두 사내아이가 여름방학 동안에 집의 굴뚝을 청소했다. 한 아이는 얼굴이 새까맣게 되어 내려왔고, 또 한 아이는 얼굴에 그을음이 전혀 묻지 않고 말쑥한 얼굴로 내려왔다. 그대는 어느 아이가 얼굴을 씻을 것이라고 생각하는가?'

탈무드를 공부하고 싶다는 그 사람은 너무 쉬운 문제라고 생각했습니다. 그리고 즉시 이렇게 대답합니다. '물론 얼굴이 더러운 아이입니다.' 랍비는 이렇게 대답했습니다. '틀렸네. 얼굴이 더러운 아이는 깨끗한 아이의 얼굴을 보고 자신도 깨끗하리라 생각했을 것이고 깨끗한 얼굴로 내려온 아이는 더러운 아이의 얼굴을 보고 자신도 더러우리라 생각했을 것이니, 깨끗한 얼굴의 아이가 씻는 거야.'

탈무드를 배우고 싶은 그 사람은 한 번만 더 시험해 달라고 요청했습니다. 그러자 랍비는 똑같은 문제를 냈습니다. 그 사람은 '똑같은 문제 아닙니까? 말씀하신대로 얼굴이 깨끗한 아이가 씻겠죠.' 랍비는 이번에도 틀렸다고 대답했습니다. '말짱한 쪽은 씻다보니 별로 더럽혀지지 않았다는 걸 깨닫게 되었지. 그러나 더럽혀진 쪽은 깨끗한 친구가 왜 씻었는지를 눈치 채게 되었고, 그래서 이번에는 그을음을 뒤집어 쓴 쪽이 씻었다는 해답이 나오는 거야.'

Q1 굴뚝에 들어갔다 나온 아이들 모두 시커멓게 되었다는 랍비의 이야기는 무슨 의미라고 생각합니까?

말씀열기

모든 문제의 뿌리는 죄의 문제입니다.
이번 과에서는 그 죄의 문제를 다루고 해결하고자 합니다.
기독교의 핵심은 구원에 있습니다.

▣ 기독교의 핵심 → 예수 그리스도 → 십자가 → 구원

믿음의 첫 걸음도 그래서 죄에 대한 고백부터 시작하는 것입니다.

> 행 16:31

A * 모든 사람이 죄를 지었습니다

》》 너나 할 것 없이 모든 사람이 죄를 지었습니다.

우리는 모두 살아가면서 여기저기 그을음에 시커멓게 묻은 이들입니다. 좀 더 많이 묻은 사람이 있고 좀 덜 묻은 사람은 있을지 몰라도, 안 묻은 사람은 하나도 없습니다. 우리가 사는 세상은 굴뚝처럼 그 안에는 시커멓다 그 말입니다.

그래서 비뚤어진(패역한) 세대에서 구원을 받으라고 우리에게 권하였습니다(행 2:40).

> 롬 3:9

종교(宗教)
인간 삶의 으뜸이 되고
근원이 되는 문제를 다룸

롬 3:23

롬 3:10-12

* '양심적인 도둑'이 있습니까?
* 그중 좋은 사람도 있고 나쁜 사람도 있습니까?
* 여러분은 일기를 아주 솔직하게 쓰고 있습니까?
* 죄수를 재판하는 판사에게는 죄가 없습니까?
* 깨끗한 정치인은 누구입니까?

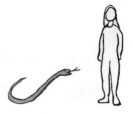

B * 기억에 없다고 죄가 없는 것은 아닙니다

⟩⟩⟩ 나는 죄가 없다고 말할 수 있는 사람이 있을까요? 죄가 없다고 말하는 그 자체가 하나님 앞에서 거짓말입니다.

요일 1:8, 10

롬 3:13-14

하나님의 법
사람의 법은 손을 묶지만
하나님의 법은
마음을 묶습니다.

성경에 나타나는 양심의 심판
요셉의 형들(창 32:6-8) ·
압복강가의 야곱(창 42:21)
세례요한을 죽인 헤롯(막 6:14-29)

⟩⟩⟩ 누구에게나 양심이 있습니다.

롬 2:15

시 51:3-5

＊소풍 가는 날 아침 날씨가 우중충하면 어떻게 해야 합니까?
＊큰 죄 범하기가 쉽습니까? 아니면 작은 죄 범하기가 쉽습니까?
＊큰 동물이 새끼를 잘 칩니까? 작은 동물이 새끼를 잘 칩니까?

C＊죄의 대가는 죽음입니다

롬 6:23

죽음이란　＊생물학적 측면 :
　　　　　＊철학적 측면 :
　　　　　＊문학적 측면 :
　　　　　＊경제적 측면 :
　　　　　＊성서적 측면 :

》》 죽음이란 육체와 영혼의 분리요, 고향을 찾아가는 한 과정의 변화임을 알려줍니다. 죽음은 존재의 □□이 아니라 □□입니다.
　육체적인 죽음이 육체로부터 영혼이 분리되는 것이며
　그 결과로 육체는 부패하듯이
　영적인 죽음은 인간이 하나님으로부터 분리되는 것을 의미합니다.
　이 영적인 죽음과 육체적인 죽음이 모두 □ 의 결과입니다.

　세 가지 차원의 죽음
1) 영적인 죽음 :
　인간이 하나님으로부터 분리됨(창 2:17, 3:23 겔 18:4)
2) 육체적인 죽음 :
　영혼이 육체와 분리됨(창 5:5, 약 2:26, 전 1:7)
3) 영원한 죽음 :
　하나님으로부터 영원한 분리(마 25:41, 계 21:8)

히 9:27

1. 죄를 짓는 순간부터 갖게 되는 마음의 고통이 심판입니다.

잠 28:1

〉〉〉 하나님의 심판의 한 증거는 우리 안에 있는 양심입니다.
내 양심은 내 안에 있으면서도 내 편이 아닙니다. 하나님의 공의의 법대로 내 가슴 속에 출장 와 있는 출장소입니다. 죄를 짓는 순간부터 갖게 되는 마음의 고통이 벌써 심판입니다.

2. 오늘의 현 시점에서도 심판은 있습니다.

눅 12:2-3

〉〉〉 하나님의 공의와 도덕이 이 세상에도 존재합니다
현실세계에서도 죄를 지은 자에게는 보응이 있습니다.
불과 몇 시간 후에 그 죄가 드러나는가 하면, 몇 년이 지난 후에 밝혀지기도 합니다. 죄를 지으면 사람들은 그 죄를 덮으려는 속성을 지니고 있습니다. 그러나 죄는 가장 원치 않은 때에 나타나 그 대가를 받아냅니다.

3. 하나님의 절대평가를 두려워해야 합니다.

계 20:12-15

〉〉〉 세상 법정에서는 공소시효가 지난 사건은 처벌할 수 없습니다. 그러나 하나님의 심판대 앞에서는 공소시효가 없습니다. 죽은 다음에 심판하시는 하나님이십니다.

심판
마음대로 하라고 인간을 내버려
두시는 것도 심판이다.
(요 13:27, 호 4:17, 롬 1:24-28)

죄 짓는 이유
현대인들이 범죄의 자리에 들어
가는 이유는 한 마디로 하나님
의 심판을 믿지 않기 때문이다.
(라인홀드 니버)

>>> 진정 두려워해야 할 대상은 세상 법정이 아니라 하나님의 심판입니다. 불의하면서도 잘 살았던 사람이 이 세상에서는 완전범죄로 법망을 벗어날 수 있었겠지만, 하나님 앞에서는 완전범죄가 성립하지 않습니다. 마지막 심판의 날 모든 죄는 다 드러나고야 맙니다.

4. 죄를 자꾸 다그쳐 묻는 이유

사 1:18-20

생각열기

Q1 죄를 짓고 들키지 않았지만 그 죄로 인해 마음의 고통을 느껴보신 적이 있습니까?

Q2 죄를 짓고 잘 사는 사람들을 보면 어떤 생각이 드십니까?

Q3 교회에 나오는 동기가 병 고침이나 소원성취에 있습니까?

Q4 부모가 자식에게 죄를 캐묻는 이유는 무엇입니까?

인간의 죄성을 드러내주는 가룟유다의 배신 장면
"가룟유다가 대제사장들에게 예수를 넘겨줄 마음을 품고 그들을 찾아갔다"(막 14:10).

다음 과를 준비하며

다음 과에서는 죄를 깨닫고 인정하는 자들에게 희망이 있음을 배우겠습니다.

09 _2부 1권 2과 죄를 인정하는 이의 희망

이 과의 주제 💬

모든 사람들이 하나님 앞에서 죄인이란 사실을 개인적으로 고백하는
것이 중요합니다.

외울말씀 누가복음 5:31-32

마음열기

　　　　열두 살 된 아이가 어머니에게서 1만원을 훔쳤습니다. 훔치는 순간 그는 얼
마나 조마조마했는지 모릅니다. 아이는 어머니가 없는 동안 발소리를 죽여 가며 지갑이 있
는 곳으로 갔습니다. 그리고는 주위를 살펴보고 재빠르게 고액지폐 하나를 훔칩니다. 그리
고 지갑을 놓은 자리가 훔치기 전의 자리인가 아닌가를 확인합니다.

　이렇게 훔치고 나서는 약간 후회가 됩니다.

　'나중에 탄로가 나면 어쩌나? 훔치지 말 걸 그랬잖아? 지금도 늦지는 않았다. 살짝 도로
갔다 놓을까? 아니, 뭐 아직도 1만 원짜리가 몇 장 더 지갑 속에 있던데, 뭐 애써 훔친 걸 도
로 또 갖다 놓을 거까지는 없지~.'

　이렇게 후회도 잠시입니다.

　자, 시간이 지났습니다. 어머니가 눈치를 챈 모양입니다.

　'애! 내 지갑에서 1만원이 모자라는구나? 너 모르니?

　이 아이는 속으로 생각합니다.

　'저는 몰라요!'

　'정말?'

　'정말이에요. 제가 어떻게 알아요?'

　아이는 시치미를 딱 뗍니다.

Q1　왜 사람들은 들키면 자세를 바꾸고 뱃심 좋게 버티곤 할까요?

말씀열기

왜 사람들은 자기의 죄를 수긍하려 들지 않습니까?
죄인이라는 말에 대해 부정하는 이유는 무엇입니까?
죄를 인정할 때 비로소 그 죄를 씻음 받을 수 있습니다.

A * 죄를 감추거나 합리화하지 마십시오

≫ 사람들이 자신의 죄를 인정하지 않는 이유는 무엇인가 살펴봅시다.

1. 죄를 상대적으로 생각하기 때문입니다.

마 7:3

≫ 한 마디로 "내가 저 사람보다 낫지 않는가?"라는 생각을 갖는 것입니다. 자신의 죄를 깊이 인식하지 못하기 때문에 다른 사람의 죄가 더 크게 보입니다.

＊남보다 빚을 적게 졌다고 해서
  내가 진 빚이 없어지는 것이 아닙니다.
＊남보다 덜 도망갔다고 해서 안 도망 간 것이 아닙니다(50보 100보).
＊100m 계곡에서 50m를 뛰었든 99m를 뛰었든 결과는 같습니다.

＊더 작은 차가 나오니까 작은 차가 잘 팔리는 이유
＊나보다 더 늦게 예배시간에 오는 사람 때문에 반가운 이유
＊나와 성적이 함께 떨어진 아이랑 더 친해지는 이유

2. 최선을 다했다고 생각하기 때문입니다.

> **마 19:20**

>>> 부자 청년은 자신이 모세의 계명을 최선을 다해 지켰기 때문에 부족한 것이 없다고 생각했습니다. 그러나 최선을 다했다고 해서 그것이 의가 되는 것은 아닙니다.

3. 공로주의 원리에 빠져있기 때문입니다.

>>> 자기생활을 바라볼 때 죄가 넷이고 선행으로 인한 자기 공로가 여섯일 경우 더하기 빼기해서 공로가 두 개 더 많다고 생각하는 태도입니다. 따라서 자신은 선하다고 말합니다.

B＊죄는 보다 더 깊은 차원으로 발전합니다

>>> 처음에는 모르고 짓는 죄가 많습니다.
그러나 그 다음에는 알고 반복합니다.
그리고는 변명하면서, 정당화하면서 죄를 가중시킵니다.

＊온도가 같은 뜨거운 물에 손을 첫 번째 넣을 때와 두 번째 넣을 때
＊남녀가 처음 손을 잡을 때의 느낌
  모든 경험을 단회적이라는 말의 뜻

＊재래식 화장실에 들어가서 시간이 지나면
  면역이 되면 불감증환자가 되어 버립니다(동화성).
＊죄는 많으면서도 뉘우침조차 사무쳐오지 않는 불모의 사막

좋은 도둑
의로우려고 한
그것까지도 죄이다.
(어거스틴)

추운 겨울 밤 문을 두드리는 소리
밖에 누가 왔소?
저는 가련한 자입니다
연약한 여인의 음성이다
누구냐고 묻지 않소?
사랑을 그리는 외로운 소녀라니까요?
이름이 뭐요?
죄라고 합니다
어서 들어오시구려!
그 순간 나의 방에는 지옥이 가득 찼다 (키플링 '죄')

C * 빛으로 나아갈수록 자신의 죄를 더 깊이 알게 됩니다

»» 빛에서 멀어질수록 내 그림자는 작아지고 빛에 가까이 갈수록 내 뒤에 있는 그림자는 점점 더 커져갑니다.

1. 영적으로 죽은 사람은 죄에 대해 무감각합니다.

»» 죽은 사람 위에 1톤의 짐을 올려놓아 보십시오. 죽은 사람이 힘들다고, 괴롭다고 하지 않습니다. 죽은 사람은 아무런 느낌이 없습니다. 빛 가운데 있지 아니하고 어두움 가운데 있는 사람은 자신의 죄를 깨닫지 못합니다. 죄에 대해 무감각하기 때문에 예수 그리스도를 영접하지 않습니다.

요 1:4-5

2. 빛으로 나아가 자신의 죄를 고백하는 사람은 쓰임을 받습니다.

밧세바 사건
겸손과 용기의 회개
위대한 임금

(어거스틴)
(그룬트비)
(루터)
(칼 바르트)
(다윗) `시 51:5`

(베드로) `눅 5:8`

(이사야) `사 6:5`

3. 병을 인정해야 치료가 시작됩니다.

〉〉〉 빛과 가까울수록 죄의 고백은 깊어집니다. 죄의 고백이 깊어질수록 하나님의 사랑의 깊이도 깊어집니다.

하나님이 나를 꾸짖으시면 □□ 입니다.
다른 사람이 나를 나무라면 그것은 □□ 입니다.
그런데 나 스스로 뉘우치면 그것은 □□ 입니다.

* 우둔한 사람(愚者)은 죄가 없다고 합니다(無過)
* 현명한 사람(賢者)은 죄가 있다고 합니다(有過)
* 거룩한 사람(聖子)은 죄가 많다고 합니다(多過)

바울의 고백 변천사

`고전 15:9`

`엡 3:8`

`딤전 1:15`

＊죄인에 대한 최종증거는 끝까지 자기 죄를 깨닫지 못하는 것이다.
＊죄인이라고 생각하는 의인과, 의인이라고 생각하는 죄인
＊자기의 허물을 끝내 고집하는 자야말로 참으로 잘못하는 자이다.

> 눅 5:31-32

> 롬 5:8

》》 아무리 중환자라도 자기 스스로 환자임을 알지 못하면 의사를 찾지 않게 됩니다. 병을 인정해야 치료가 시작되는 것입니다. 아픈 사람에게 병원엘 가자고 했더니, 병이 나은 다음에 간다고 한다면 어리석은 대답이랄 수 있습니다.
이 시간 자신의 죄를 고백하기를 원합니다.

생각열기

Q1 다른 사람과 비교하여 자신의 죄가 작다고 느낀 적이 있습니까?
다른 사람과 비교하여 자신의 죄가 크다고 느낀 적이 있습니까?

Q2 솔직하게 자신이 죄인임을 시인했을 때는 어떤 일이 벌어집니까?

다음 과를 준비하며

성경이 말하는 죄는 무엇인가 하는 점과, 구원에 대해 배웁니다.

죄를 인정함

이 배를 타고 있는 사람들은 모두 무죄한 사람들인데 너 한 놈만이 죄인이라니!
이런 자를 무죄한 자들과 함께 둔다는 것은 옳지 않다!
당장 이 자리에서 나가거라!

찬송가 337장

인애하신 구세주여
내 말 들으사
죄인 오라 하실 때에
날 부르소서

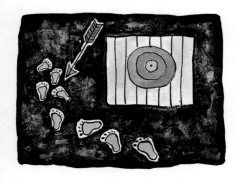

10 _2부1권3과 구원을 받아야 할 이유

이 과의 주제 💬

죄는 모든 인간의 가장 근원적인 문제이며 죄로 인해 영원히 죽을 수
밖에 없는 인간에겐 구원이 꼭 필요합니다.

외울말씀 요한복음 3:18-19

마음열기

오래 전에 어떤 사람이 은행에서 돈 8만원을 찾았습니다. 돌아서서 세어보
니 9만원이 아니겠습니까? '이거 웬 횡재인가' 싶어 집에 돌아와 다시 세어보니, 이번에는
1만원이 오히려 부족한 7만원입니다. 잔뜩 긴장하여 다시 돌려서 세어보니 이번엔 또 9만
원입니다. 하는 수 없이 한 장 한 장씩 손가락에 침을 묻혀가며 따로따로 세어보니까 그 중
간에 한 장이 접혀 있더라지 않습니까? 그래서 이쪽과 저쪽이 다른 것이었습니다.

'아이고, 이거 먹지도 못하고 도적질했구나!'

이런 이를 가리켜 '그림자 도적놈' 이라고 부릅니다. 그가 세상의 법률에 저촉되는 도적놈
은 아니지만, 하나님 앞에서는 이미 도적놈임에 틀림없습니다.

큰 독사가 따뜻한 날씨에 시가지에 나타나서 이렇게 말합니다.

'나는 선한 독사다. 나는 세상에 태어나서 그 누구의 발뒤꿈치를 물어본 일이 없다. 그러
므로 나는 선한 독사다.'

자, 어떻습니까? 그렇게 말한다고 해서 독사가 아닙니까?

Q1 독사란 입 속에 독주머니를 지니고 있기 때문에 독사입니다. 남을 해치지 않았다
해도 이미 독을 가지고 있으므로 독사입니다. 여러분은 세상의 법망에는 피해갔지
만, 하나님 앞에 여전히 남아있는 죄들이 얼마나 많습니까?

말씀열기

어느 집에 세 아이가 있었습니다. 그 세 놈에게 아버지는 한번도 '싸워라, 미워해라, 욕심 부려라, 시기해라' 그런 말을 한 적이 없습니다. 그런데 큰놈 '자동', 둘째 놈 '자동', 셋째 놈 '완전 자동' 이더라고 합니다. 가르쳐주지 않아도 어떻게 알고 어디서 배웠는지 죄를 짓는데 자동으로 그렇게 되더라는 이야기입니다. 우리 속에 죄악의 뿌리가 있다는 말입니다.

A * 성경이 말하는 죄는 무엇입니까?

1. 죄의 뿌리(원죄)

> 롬 5:12

>>> 아담이 범한 대표적이며 법정적인 죄로, 인간이 죄를 범하지 않을 수 없도록 하는 죄의 뿌리(품성)를 말합니다.
원죄란 유전적인 것 뿐 아니라 실존적인 문제까지 포함됩니다.

> 마 7:16-18

>>> 죄를 지었기 때문에 죄인입니까? 아니면 죄인이기 때문에 죄를 지은 것일까요? 좋은 나무에서 좋은 열매가 나오고, 나쁜 나무에서는 나쁜 열매가 열립니다.

2. 마음의 죄(동기)

>>> 세상의 법은 보이는 결과에 따라서만 정죄하지만, 성경은 마음의 동기까지 지적하고 있습니다. 예수님의 기준은 속마음입니다.

선한 독사

독사란 입 속에 독주머니를 지니고 있기 때문에 독사입니다. 남을 해하지 않아도 독을 갖고 있으므로 독사입니다. 선한 독사는 없습니다.

원죄와 자범죄

원죄(原罪) 자범죄(自犯罪)

마 5:27-28

불행죄

기회가 있음에도 불구하고
선을 행치 않는 죄(不行罪)
국방의 의무, 납세의 의무
(Sins of Commission)
(Sins of Ommission)

3. 생략의 죄(요구)

약 4:17

>>> 하지 말라고 한 것을 하는 경우에도 죄가 되지만, 하라고 했는데 하지 않고 생략하는 것
도 죄입니다. 나쁜 일을 하지 않았어도 하나님이 요구하시는 목표에 도달하지 못한 때문입
니다.

다음은 성경에 나오는 생략의 죄들을 보여줍니다.
선으로 연결지어봅시다.

부자청년 *　　　　　* 눅 10:25-37
어리석은 부자농부 *　　　　　* 눅 16:19-31
제사장 레위사람 *　　　　　* 막 10:17-31
한 달란트 받은 종 *　　　　　* 삼상 12:23
빌라도의 재판 *　　　　　* 마 27:11-26
기도하기를 쉬는 죄 *　　　　　* 마 25:14-30
부자와 나사로 *　　　　　* 마 25:40
하지 않은 것 *　　　　　* 눅 16:19-31

4. 결정적 죄(불신)

죄의 종류

도덕적인 죄(guilt)
양심적인 죄(crime)
영적인 죄(sin)

요 3:18-19

요 16:9

>>> 아무리 큰 죄인도 예수 그리스도를 믿음으로 용서를 받을 수 있습니다. 그러나 예수 그리스도를 믿지 않으면 용서받을 길이 없기 때문에 불신은 곧 결정적인 죄가 됩니다.

> 요 1:11-12

B* 죄는 어떻게 나타납니까?

>>> 구원이란 모든 악과 고난의 상태로부터 해방되는 것을 의미합니다.
 죄의 본질은 하나님에 대한 옳지 않은 태도입니다. 인간은 창조주 하나님께 순종하고 의존하도록 지음 받은 존재입니다.
 시간적으로도
 지혜에 있어서도
 힘도 부족합니다.
 그런데 인간은 자기 스스로 살 수 있으리라고 생각했습니다. 자신의 운명을 주관할 수 있기를 원했습니다. 그리하여 하나님의 명령을 어기고 선악과를 따먹었습니다.
 이 일로 인해 인간은 하나님으로부터 분리가 생겼습니다.
 뿌리 뽑힌 나무처럼 되어버렸습니다.

> 창 2:16-17

>>> 대지에서 분리된 나무는 자원이 말라가게 됩니다.
 그래서 오는 현상들이 무엇입니까?
 여기에서 인간의 □□ 이 시작됩니다.

부족한 자원을 채우기 위해 남의 자원을 끌어들이고자 합니다.
여기에 치열한 생존경쟁이 일어납니다.
소외현상

자기를 하나님으로부터 닫아버리는 것이 원죄라면,
원죄의 결과로 나타나는 현상으로서의 죄가 자범죄입니다.

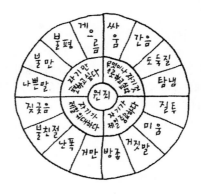

생각의 영역에서
말의 영역에서
행동으로 발전   (파괴력 증가)

사중적인 소외현상
불합리한 인간
네 가지가 아닌 것 (四 +非 = 罪)

C* 패역한 세대에서 구원을 받으라

1. 우리가 살고 있는 이 세대의 특징

＊과학주의 물질주의 인본주의
＊자유주의 쾌락주의 허무주의 세속주의
＊전통 권위 도덕적 가치 종교를 잃음

2. 죄로 물든 우리 시대의 자화상

＊질서를 잃어버린 세대(무질서)
＊목표를 상실한 세대(무목표)
＊교만과 소외의 세대(무관심)

변화하는 시대에는 잘 적응하면서도
불변의 원칙은 늘 가지고 있어야 하겠습니다.

미 6:8

생각열기

Q1 전혀 다른 곡을 함께 틀어놓으면 어떻습니까?

Q2 골문이 순간순간 변하는 축구 경기장이 있다면 어떻게 되겠습니까?

Q3 오늘밤 이 닦을 때 배꼽도 닦아줘야겠어요.

다음 과를 준비하며

지금까지 구원의 필요성에 대해 살펴보았습니다.
다음에는 3회에 걸쳐 구원의 길에 대해 배울 것입니다.

네 가지 아닌 것
불신(不信/요 3:18)
불법(不法/요일 3:4)
불의(不義/요일 5:17)
불선행(不善行/약 4:15)

죄에 대한 정의
하나님 앞에서의 교만(니버)
불신앙적 교만(칼빈)
거룩한 것에 대한 무관심(본회퍼)
하나님께로부터 분리(틸리히)
절망(몰트만)

노아 홍수 때 배에 올랐던 것은 구원을 의미한다
"하나님이 명하신 대로 수컷과 암컷 둘씩 노아에게로 와서 방주로 들어갔다"(창 7:9).

11 _2부 2권 1과 인간의 노력이 아닙니다

이 과의 주제 💬
구원은 사람의 선행이나 의지나 노력으로 얻는 것이 아니라 전적인 하나님의 역사입니다.

외울말씀 에베소서 2:8-9

마음열기

　　겨울에도 맨발로 다니던 성인, 지리산 눈보라 속에서 십자가의 노래를 부르며 통곡하던 산중파 금욕주의자 이현필, 그는 절대 독신주의를 강조했고, 거지같이 살았으며, 죽어도 약을 쓰지 않았고, 절대로 살생을 하지 않아 길을 걸을 때는 보통 사람들보다 배나 느리게 천천히 걸으면서 길가의 개미, 지렁이 등 벌레가 밟히지 않게 목숨을 가진 것을 주워 옮겨 놓든가 피해서 조심스럽게 걸었습니다. 한동안 소문나기에는 이도 벼룩도 죽이지 않는다, 빈대나 이를 잡으면 성냥갑에 넣어 개울물에 띄워 보내면 보냈지 직접 죽이지는 않는다고 했습니다.

　　한 잔의 커피도 한 점의 육식도 생선도 먹어본 일이 없었습니다. 죽으면서 자기 시체에 옷도 입히지 말고 무덤도 알리지 말라고 유언할 만큼 청빈하게 살았고, 순결한 생활을 생명처럼 강조하며 살았기에, '사람 치고 저렇게 완전한 분이 어디 또 있겠는가?'라는 평을 들을 정도였습니다.

　　그러던 그가 말년에 병으로 굴속에서 사경을 헤맬 때 돌변해 버렸습니다. 그는 제자들에게 무슨 고기든지 좋으니 먹을 고기를 사오라고 합니다. 그리고는 스스로 파계를 합니다. 의식적으로 자기가 쌓아올린 벽을 자기가 깨뜨렸습니다.

나는 위선자입니다

'나도 그리스도의 보혈을 의지하여 구원 얻을 사람이지, 선행이나 금욕이나 고행으로 구원을 얻으려는 사람이 아닙니다.'

'2천 년 전에 유대 골고다에서 흘렸다는 예수의 피만 가지고는 부족합니다. 예수님의 보혈이 바로 지금 이 시간 어쩔 수 없는 나의 마음에 뚝뚝 떨어져 오는 것이 되지 않으면 안됩니다.'

Q1 이현필이 자신이 쌓아올린 벽을 스스로 깨뜨린 이유는 무엇이라고 생각하십니까?

말씀열기

이번 과부터 구원의 길, 즉 방법에 대해 배우게 됩니다.

구원은 하나님의 선물입니다. 하지만 많은 사람들은 자기의 노력이나 선행으로 구원받는 줄로 착각합니다.

그러나 성경은 사람의 어떤 노력도 하나님의 공의를 만족케 할 수 없음을 알려줍니다. 구원은 오직 하나님께로부터 나오는 것입니다.

A＊ '내가 무엇을 하여야' (What)가 아니라 '어떻게 해야 할까?' (How)가 중요합니다

〉〉 마가복음 10:17-31에 나오는 예수님과 부자 청년의 대화를 살펴보면서 구원을 위해 무엇이 중요한가 생각해 봅시다.

＊부자 청년이 예수님께 달려와 예수님을 어떻게 불렀고, 무엇을 물었습니까?

막 10:17

〉〉 부자 청년이 예수님을 향해 부른 호칭에 문제가 있습니다. 부자 청년은 예수님을 일개 '윤리적 교사'로 보았던 것입니다. 또 부자 청년의 질문인 "무엇을 해야 하는가"에도 문제가 있습니다.

＊어려서부터 계명을 잘 지켰다고 대답한 부자 청년에게 예수님은 부족한 것이 있다고 하셨는데 그것이 무엇입니까?

막 10:21

75

＊이에 대한 부자 청년의 반응은 어떠하였습니까?

막 10:22

》》》 예수님은 '해야 할 것을 하지 않은 죄'를 지적하며 인간의 죄성과 부족함을 느끼게 했습니다.

＊구원은 사람이 아니라 하나님께 달려 있습니다.

막 10:27

》》》 부자가 하나님 나라 들어가는 것이 낙타가 바늘귀를 통과하는 것 보다 어렵다고 하십니다. 즉 불가능하다는 말입니다. 이런 불가능을 가능하게 하는 것은 전적으로 하나님께 달려 있습니다.

B＊어떠한 노력도
하나님의 절대공의를 만족케 할 수 없습니다

》》》 고행이나 금욕생활로 구원을 얻으려는 사람이나 종교(눅 13:24)
  마르크스주의 등 문명 낙관주의
  기독교 안의 금욕주의
  율법으로 하나님 앞에서 의롭다함을 얻을 사람이 없습니다.

약 2:10

갈 3:10

》》》 하나님은 완전한 것을 요구하십니다. 그러나 율법을 완전하게 지킬 수 있는 사람은 없습니다.

* 벼랑을 오를 때 쇠고리가 몇 개 풀리면 떨어집니까?
* 세금을 잘 내다가 한두 번 탈세를 하면 봐 줍니까?
* 세계적인 넓이뛰기 선수는 그랜드캐넌을 뛰어넘을 수 있습니까?
* 100층 건물 꼭대기에서 내려다 볼 때 키가 큰 사람이 표시 납니까?

엡 2:8-9

C * 인간의 끝이 하나님의 시작입니다

1. 구원은 우리 안에서 오는 것이 아니라 우리 밖에서 옵니다.

≫ 인간 스스로 구원할 수 있었다면 처음부터 구원받아야 할 문제가 생기지 않았을 것입니다. 구원은 우리 밖에 있는 무한한 힘을 가진 초월자로부터 와야 합니다.

세리는 자신의 죄를 자기 스스로 해결할 수 없음을 알고 하나님의 긍휼을 구했습니다(눅 18:13). 자신의 의를 자랑하기보다 자신의 더러움을 깨닫고 회개하며 밖으로부터의 도움을 구하는 자세가 필요합니다.

》》 The End of Self,

   The Beginning of the God.

   Man's extremity is God's opportunity.

2. 실존의 세 가지 단계

* 미적 실존 : 쾌락 – 실망
* 윤리적 실존 : 유머 – 절망
* 종교적 실존 : 단독자 – 하나님 앞에 홀로 서는 자기 (키에르케고르)

롬 7:19 - 24

3. 돌아오면 됩니다.

》》 집을 나간 탕자를 보십시오(눅 15:11-14).

   한계상황 바로 그 곳에서 눈을 떠보았을 때 그곳엔 끝장이 아니라 이번에는 아버지의 기다
림이 있었습니다. 아버지는 찾아 나서지는 않았습니다. 수소문하지도 않았습니다. 그러나
애타게 기다리는 아버지를 볼 수 있습니다.

   아버지의 기다림!

아들이 돌아오기를, 아들이 참 사람 되기를 기다리시는 이 기다림은 '무엇' 을 더 소유하기 위한 기다림이 아니었습니다. 아버지의 기다림은 떠나갔던 아들을 용서해 주시기 위해 기다리는 기다림입니다.

돌아왔기 때문에 용서한 것이 아닙니다. 이미 용서하고 기다린 것입니다. 벌써 용서했으니 돌아만 오면 된다는 것입니다. 이것이 아버지의 사랑입니다.

신앙이란, 나의 교만이 깨어지는 이 한계상황 바로 그 뒤에, 항상 그곳에 가까이 계셔서 회개하고 용서를 구하는 나를 기다리는 하나님이 계시다는 사실을 믿는 것입니다.

생각열기

Q1 아픈 사람이 다 나은 다음에 병원에 간다고 합니까?

＊이제 내가 믿기로 하면 잘 믿어야 할 테니까 천천히 나가겠다.

＊누구같이 믿을 바에는 안 믿는다.

＊너 같이는 안 믿고, 난 믿으면 확실하게 믿는다.

＊예수 믿으면서도 죄를 지을까봐서 나는 아예 안 믿는다.

Q2 가룟유다가 자살한 이유는 무엇입니까?
탕자가 집으로 기어들어온 것은 뻔뻔하다고 생각하지 않습니까?

Q3 자신의 힘으로 도저히 해결할 수 없는 문제를 가지고 하나님께 간구해 보신 적이 있습니까? 하나님의 도우심으로 어려움을 극복한 경험을 나누어 보십시오.

찬송가 349장
내 모습 이대로
주 받으옵소서

인간과 하나님
인간의 궁지는 하나님의 시작입니다. 궁지에 몰리는 것이 바로 간구의 근거가 됩니다.

다음 과를 준비하며

하나님께서 구원을 이루어 놓으심을 배웁니다.

12 _2부 2권 2과 구원은 하나님이 하시는 일

이 과의 주제 💬

구원에 필요한 모든 일은 하나님께서 이미 이루어 놓으셨습니다. 다만 우리는 그것을 받아들이기만 하면 됩니다.

외울말씀 로마서 3:27-28

마음열기

하우디니라고 하는 사람은 유명한 마술사요 대장장이였습니다. 그는 어떠한 감옥에 갇힌다고 해도 평복을 입고 그곳에 들어갈 수 있게 해준다면 한 시간 안에 탈출할 수 있다고 장담하던 사람입니다. 대영제국의 군도 중 어느 섬에 새로운 감옥을 세웠습니다. 그 때 당국에서는 하우디니에게 도전의 기회를 주었습니다.

하우디니는 인기와 돈을 좋아했습니다. 그래서 도전에 응하기로 했습니다. 그가 도착했을 때 사람들은 환호했습니다. 그는 의기양양하게 마을 사람들의 환호에 손을 흔들어 준 뒤에 감옥으로 들어갔습니다. 그리고 자기의 외투를 벗고 작업을 시작했습니다. 그의 허리에는 자물쇠를 열 수 있는 10인치짜리 쇠막대기가 있었습니다. 그는 자신의 실력을 믿고 노력했지만 별 성과가 없었습니다. 30분이 지나자 자신감이 사라졌습니다. 1시간 동안 노력해도 땀을 흘릴 뿐 아무런 성과가 없었습니다. 두 시간이 지나자 하우디니는 결국 포기하고 말았습니다.

왜 그런지 짐작하시겠습니까?

Q1 그 감옥의 자물쇠는 사실 처음부터 열려 있었습니다. 그는 열려 있는 자물쇠를 잠긴 줄 알고 헛수고 한 것입니다. 여러분은 문제를 해결하려고 노력하던 일이 아무런 성과 없이 끝난 경험은 없습니까?

말씀열기

대들보의 못을 뽑았던 청년 이야기(렘 2:22)

사람의 죄가 남긴 자국이 기둥이라면 무슨 걱정이 있겠습니까?

그렇다면 기둥만 교체하면 될 수도 있을 것입니다.

그러나 만일 못을 친 곳이 하나님의 심장이었다면 어떻게 하겠습니까?

물질에 관한 것은 갚아질 수 있을지 몰라도, 생명에 관한 것은 갚아지지 않습니다.

A * 도덕적인 종교(율법)와 기독교 신앙(복음)

1. 그러면 율법은 왜 있는 것입니까?

》》 율법은 다만 청진기의 역할을 합니다.

청진기는 병을 치료하는 기구가 아니고 병을 진단하는 것입니다.

* 우리의 죄와 하나님의 진노를 가르쳐 줍니다(롬 3:20).
* 그리스도에게 인도하여 줍니다(갈 3:24).
* 신자가 된 사람의 생활기준을 가르쳐 줍니다.

2. 일반 종교는 행위(Works)를, 복음은 은혜(Grace)를 강조합니다.

일반 종교 (율법)	기독교 복음
노력해서 이룸(attain)	거저 주어짐(obtain)
자신이 시도함(attempt)	받아들임(accept)
힘씀(try)	신뢰(trust)
자기 발전(develop yourself)	자기 부정(deny yourself)
자기 구원(save yourself)	자기 양도(surrender yourself)
이것도 저것도 하라(do)	믿으라(believe)

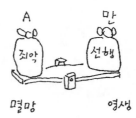
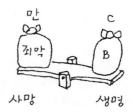

》》 위의 그림은 무엇을 의미할까요?

첫 번째 그림은 저울이 멸망으로 기울었습니다. 선행이 1만이란 무게를 가졌음에도 불구하고 멸망 쪽으로 기울었다면 죄악의 무게는 얼마나 되겠습니까?

두 번째 그림은 저울이 생명 쪽으로 기울었습니다. 헤아리기 힘들만큼 많은 죄와 허물을 덮고 이기는 것이 무엇입니까?

B*업고 가는 것이 아니라 업혀 가는 것입니다

1. 하나님은 이미 우리에게 구원의 문을 열어 놓으셨습니다.

> 요 19:30

신앙의 출발
굉장하게 해보자(a big do)는 것으로 시작되지 않고, 굉장하게 해놓은 것(a big done)으로 시작된다.

2. 율법으로부터 자유 할 수 있는 길은 두 가지입니다.

대속의 교리
만유 균형의 원리
(마르크스주의)

》》 하나는 그 율법을 다 지키는 일이요,

다른 하나는 율법이 주는 형벌을 다 받는 길입니다.

그 형벌의 결국은 무엇입니까? 죄의 값는 사망입니다.

그러므로 죽어야만 되는 것이며, 그렇게 될 때 율법으로부터 자유 할 수가 있습니다.

그러나 내가 나를 죽일 수 없습니다.

그러므로 우리를 위해 대신 죽으신 □□□를 바라보는 것입니다.

3. 구원은 은혜로 인한 하나님의 선물입니다.

》》 다만 우리가 그 점을 깨닫고 받아들이는 일이 신앙입니다.
인간이 한 일은 아무 것도 없습니다.

엡 2:8

》》 인간이 구원을 위해 할 일은 아무 것도 없습니다. 다만 선물로 주신 예수 그리스도를 받아
들이는 것입니다. 인간은 행함으로써 구원이 시작되는 것이 아니라, 하나님께서 이미 이루
어 놓으신 것을 믿는 믿음으로 구원이 시작됩니다.

눅 15:18-20

》》 탕자가 아버지를 위해서 한 일은 무엇입니까? 아무것도 없습니다. 오히려 아버지의 것을
허비했습니다. 그러나 아버지께로 돌아온 것이 새로운 생활이 시작되는 출발점이 되었습니
다. 우리가 잘한 것이 있어서 그것을 들고 집에 들어가는 것이 아니라, 아버지 하나님께로
돌아오기만 하면 됩니다.

롬 3:27-28

＊인간이 창조 되고난 후 그들이 맞이한 첫 날은 무슨 날이었습니까?
＊갓난아기가 태어나면서 기저귀를 몇 장 준비해가지고 나옵니까?
＊이란의 벌레가 태평양을 횡단할 수 있는 방법은 무엇입니까?
＊엘리베이터 안에서 할 일은 무엇입니까?
＊공중전화 박스 문이 열리지 않은 이유가 무엇입니까?
＊극장표를 가지고 국제공항에 가면 비행기 탈 수 있습니까?

C*우리가 아직 죄인 되었을 때에

롬 5:12

롬 5:18-19

롬 5:6-8

✝

>>> 우리가 아직 ☐☐ 때에(6절)
우리가 아직 ☐☐으로 있을 때에(8절)
우리가 하나님의 ☐☐로 있을 때에(10절)
우리가 아직 ☐☐하지 않았을 때에,
또한 내가 하나님의 사랑을 알아듣지도 못하고 깨닫지도 못할 그 때에,
나를 사랑하셨다는 것입니다.

자식이 자식 노릇을 잘해야만 부모들이 자식을 사랑하는 것이 아닙니다. 벌써 어린아이를 낳자마자, 아니 뱃속에 핏덩어리로 있을 때에 이미 사랑한 것입니다. 키워봐서 효도를 하면 사랑하고, 불효하면 호적에서 지워버리는 사랑이 아닌 것입니다. 먼저 사랑해놓고 사랑할만한 자로 키워나가는 것입니다.
이것을 '창조적 사랑'이라고 합니다.
사랑이 먼저입니다. 그리고 그 사랑은 조건적이 아니라는 뜻입니다.

용서의 시간
탕자가 집을 나갔을 때
아버지가 이 탕자를 용서한 것
은 언제입니까?

보이지 않는 은혜
감추어진 은혜
앞서 있었던 은혜

☹ 저도 구원받고 싶습니다. 어떤 선한 일을 해야 합니까?

☺ 때가 이미 늦었습니다.

☹ 예! 때가 늦었다구요? 부흥회가 끝나서입니까?

☺ 이미 예수님께서 십자가를 지셨기 때문입니다.
　그러므로 당신이 할 일은 아무 것도 없습니다.
　당신이 따로 선한 일을 할 게 남아 있지 않습니다.

☹ 그럼, 저는 이미 구원받을 기회가 상실 된 것입니까?

☺ 아닙니다. 그렇지는 않습니다.

☹ 그럼 저는 어찌해야 합니까?

☺ 당신이 하여야 할 일을 대신 하신 예수님만 믿으면 됩니다.

생각열기

Q1 다른 종교와 기독교의 출발점이 명확하게 다르다는 사실을 설명했습니다. 출발점만 다를 뿐 아니라 도착점도 다릅니다. 다른 종교와 기독교의 차이점을 다시 한 번 정리해서 말해봅시다.

Q2 놀이터에 흩어진 깨진 유리조각을 줍는 사람에게 고마워해 본 적이 있습니까?

Q3 여러분이 헌혈을 하였을 때, 그 피가 어떻게 잘 사용되어지기를 바랍니까? 특히 피를 받는 사람이 어떤 사람이기를 원합니까?

 다음 과를 준비하며

구원에 이를 수 있는 길은 오직 예수 그리스도라는 사실을 배우게 됩니다.

헌혈과 수혈
어버이날에 모여서 형제간에 재산을 놓고 다투다가 칼에 찔린 사람에게 내 피가 사용된다면?

13 _2부 2권 3과 십자가로 구원 얻습니다

이 과의 주제 💬
구원에 이르는 길은 예수 그리스도께서 나를 위해 십자가에서 피를 흘리셨음을 믿고 고백하는 것입니다.

외울말씀 요한복음 3:16-18

마음열기

　　눈이 많이 온 어느 겨울 날, 버스 안에 20여 명의 승객이 탔습니다. 그런데 달리던 차에 이상이 생겨서 운전기사는 밖에 나가 점검을 하고 있었습니다. 그런데 이게 웬일입니까? 차가 움직이기 시작한 것입니다. 땅이 미끄러워서 밀린 겁니다. 한쪽은 밭이었고 다른 한쪽은 물이 유유히 흐르는 강이었는데, 하필이면 강물 쪽으로 밀리고 있는 게 아닙니까? 승객들은 죽음을 눈앞에 보면서 비명을 질렀습니다. 그러나 이렇게 어떤 엄청난 불행한 일이 급작스럽게 자기들에게 다가올 아슬아슬한 순간이었지만, 어느 누구 하나 손도 못 대고 있었습니다.

　　그런데 차가 움직이기 시작한지 불과 몇 초 후, 어찌된 일인지 저절로 멈추어 섰습니다. 너무나 다행스러운 일입니다. 기적 같은 일이 벌어진 것입니다. 그러나 어떻게 해서 서게 되었는지 승객들은 알 수가 없었습니다. 그 버스 안에서 취한 긴급조치라고는 아무 것도 없었기 때문입니다.

　　그런데 승객들이 긴장을 풀고 조심스레 버스에서 내려 상황을 파악했을 때는 놀라지 않을 수 없었습니다. 차에서 내려 점검을 하고 있던 기사가 차의 앞바퀴에 치어 박혀있었던 것입니다. 붉은 피가 하얀 눈 위에 뚝뚝 뿌려졌고, 뼈가 부러지고 으스러지고, 그야말로 그의 몸은 말이 아니었습니다.

Q1　자기 몸을 차바퀴에 던져 차가 구르지 않도록 막았던 것입니다.

》》 그의 행동이 무모했다고 생각하십니까?

차를 멈추게 하려고 자신이 제물이 된 기사의 모습에서 누가 떠오르십니까?

말씀열기

지구라고 하는 공동운명체 안에 타고 있던 인류는 모두가 멸망할 지경에 이르렀고, 그래서 절망을 느끼고 울부짖고 있었습니다. 그런데 그때 우리가 취한 행동과는 무관하게 구원받을 수 있는 특별한 사건이 일어났습니다. 그렇지만 어떻게 해서 살아났는지 그 이유를 미처 깨닫지 못하고 있었습니다.

인류 역사의 수레바퀴가 잘못 구르고 있을 때, 그 누가 이를 멈추게 할 수 있었습니까? 하나님의 아들 예수님은 이 인류의 그리스도로서 역사의 중심점에서 자기 몸을 십자가에서 던지심으로써 우리를 구속하신 것입니다.

요일 4:9-10

A * 예수님이 나를 위하여 피를 흘리셨습니다

》》 그가 우리를 위하여 피 흘리심을 깨달았을 때는 이렇게 고백할 수 있었습니다.

고후 5:16

갈 1:4

대신 지불
뉴욕의 수도요금

》》 전에는 예수의 죽으심이 나와는 아무런 상관이 없는 줄 알았는데, 그 일이 바로 우리의 사건이요, 나와 직결된 문제임을 깨달은 것입니다.

롬 5:8

어머니의 해산의 고통은 누구를 위해서였습니까?
어머니께서 나 때문에 피를 흘리셨다고 합니다.
나를 낳기 위해서 많은 피를 흘리셨답니다.
그러나 여러분은 그것을 알았습니까? 느꼈습니까?
깨닫지도 못하고 감각으로 느낀 기억도 없습니다. 몰랐단 말입니다.
우리는 그때 너무 어렸기 때문에 몰랐고, 또 지금도 그것을 기억하지 못합니다.
그러나 그것은 사실입니까, 아닙니까?
그것은 분명한 사실입니다.
그러면 그것이 어떻게 사실임을 압니까?
나는 모르지만, 우리 어머니가 내게 말씀해주셔서 압니다.
철이 들어 성숙해서 깨닫습니다.
그리고 믿고 압니다.

B＊역사의 중심에 있는 십자가 사건

》》 예수 그리스도의 피 효력은 모든 역사에 이릅니다.
역사의 중심에 우뚝 서 있는 십자가의 사건은
앞과 뒤 모두 통합니다.
주전(主前)과 주후(主後)

기원전후

BC(Before Christ)
AD(Anno Domini
in the year of our Lord)

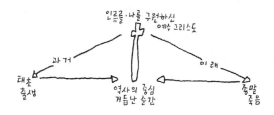

사 11:10

》》 '오실' 예수와 '오신' 예수
시간과 공간을 초월한 절대적 사건

C * 그러면 그 증거가 무엇입니까?

》》 예수 그리스도의 십자가 사건이 이러한 역사의 중심점에서 과거와 현재 그리고 미래를
꿰뚫는 사건이라는 증거가 무엇입니까?

막 10:45

》》 예수께서는 당신 자신이 우리 모두의 죄를 위하여 대신하여 대표로 죽으셨다고 말씀하
셨습니다.
　그러면 오늘날 또 어느 누군가가 그렇게 말을 한다고 해도 믿어야 됩니까? 그렇지 않습니
다. 하나님께서 그것을 인정해주셔야 하기 때문입니다.

요 3:13

부활도장
죽었다 깨어나도 못하는 일은
죽었다 깨어나는 일이다.

John 14:6
Jesus answered :
I am the way
and the truth and the life.
No one comes to the
Father
except through me.

A way
The way

그렇다면 그 도장이 무엇입니까?
초자연적인 부활 사건이 바로 그 증거입니다.
예수 그리스도만이 유일한 구원자이십니다(독생자).

요 14:6

행 4:12

갈 2:21

요 10:1, 7

>>> 1+1=2란 진리는 하나뿐이고, 그 밖의 다른 모든 수는 사실이 아닙니다.
최후의 귀한 것도 하나뿐입니다.
'나' 라고 하는 존재는 온 우주에서 하나밖에 없습니다. 교환도 혼합도 안 됩니다. 아버지도
어머니도 한 분뿐이며, 남녀 사랑의 상징인 처녀성과 동정도 하나뿐입니다.
나의 유일성보다, 아버지의 유일성보다 더 절대적인 나의 하나님과, 나의 구속의 길이 하나
뿐이라는 사실에 우리는 불편을 느끼지 않습니다.

복음은 단순하고 쉬운 것입니다.
하나님께서는 이 예수 그리스도의 십자가 외에는 어떤 구원의 길도 세우지 않으셨음을 기
억해야 합니다. 역사에서 예수님 이외에 부활한 사람이 없기 때문입니다.
그런 의미에서 기독교는 생명력 있는 산 종교입니다.
예수 그리스도만이 우리의 유일한 주님이십니다.
그 십자가의 보혈만이 우리를 구속하십니다.

D * 지금 이 순간도 예수의 피가 흐르고 있습니다

> 롬 8:33-34

> 고후 5:17

》》 이 샘에 씻으면(세례) 예전의 모든 허물이 다 가리움을 받아 새로운 삶을 살도록 한 놀라운 조치입니다.

이 피의 샘물에 우리 몸을 적시지 않으면 우리는 용서함을 받을 수 없으며, 따라서 영생에 이르지 못합니다.

> 요 13:8

> 요 6:53-56

생각열기

Q1 오직 예수 그리스도만이 유일한 구원자라는 사실을 기독교의 편견이라고 생각하십니까?

Q2 예수 그리스도 이외에도 구원이 가능하다면, 복음을 전하면서 순교까지 할 필요는 없지 않겠습니까?

✝ 다음 과를 준비하며

구원 얻을 사람이 첫 번째로 거쳐야 할 관문은 '회개'입니다.

국립목욕탕
환향녀(還鄕女)
호수만복(湖水滿腹)
보혈탕

찬송 190장
샘물과 같은 보혈은
임마누엘 피로다
이 샘에 죄를 씻으면
정하게 되겠네

라합이 구출될 때의 붉은 줄은 붉은 피를 뜻한다
"라합은 창문으로 밧줄을 늘어뜨려 그들을 달아내려 주었다"(수 2:15).

14 _2부 3권 1과 회개는 아름답습니다

이 과의 주제 💬

죄는 밉지만, 어떤 죄를 지었다 해도 하나님 앞에서 자기 죄를 회개하면 구원에 이를 수 있습니다.

외울말씀 마태복음 4:17

마음열기

사형수 고재봉은 얼마나 포악했는지 그의 감옥생활도 그에게 밥그릇을 따지는 선배가 없을 정도였습니다. 한번은 창살 사이로 엿보고 있는 교도소 소장의 눈을 손가락으로 찔러서 쓰러뜨리기도 했습니다. 그의 입에서 튀어나오는 음담패설은 거치는 데가 없었습니다.

소속 부대장인 박 중령의 군화를 훔친 일로 교도소에 가게 된 그는 앙심을 품고, 출옥하자 새로 부임한 이 중령 일가족을 박 중령 일가로 착각하고 도끼로 살해한 것입니다.

이렇게 용서와 사랑을 모르던 그가 죽을 날을 기다리고 있을 때, 한 평신도가 성경을 그에게 전해주었습니다.

'나도 당신과 같이 죽을 수밖에 없던 죄인이었으나, 이 성경을 읽고 구원을 얻었으니, 당신도 읽어보세요.'

그는 처음엔 단순히 호기심으로 읽기 시작했으나 드디어 주님을 만났습니다. 성경을 읽고 또 읽다가 예수를 믿고 크게 변화되었습니다. 전도하기 시작했습니다. 얼마나 열심히 전도를 했는지 3개월 사이에 재소자 2천 명 중에 1800명이 예수를 믿겠다고 서명했습니다.

Q1 세상에 용서받지 못할 죄가 없다는 사실에 대하여 어떻게 생각하십니까?

Q2 죄는 미워하지만 죄인은 사랑하신다는 말은 무엇입니까?

말씀열기

'회개'는 세례 요한의 설교주제였고(막 1:15)
예수님께서 제자들에게 전도여행 중에 선포하라는 것이었으며(막 6:12)
오순절 베드로 설교의 결론이며(행 2:38)
무엇보다도 예수님께서 오셔서 첫 번째로 외치신 말씀의 주제였습니다(눅 5:32).
성경은 범죄 한 사람이 멸망당하는 것이 아니라
회개하지 않은 사람이 멸망당하는 것임을 가르쳐 줍니다.

A* 죄는 밉습니다

》》 죄는 아무리 미화시키고 합법화시켜 놓아도
죄에 대한 하나님의 미움을 사랑으로 바꿔놓을 수는 없습니다.
분명히 말하지만 죄는 밉습니다.

1. 회개하지 않으면 망합니다.

> 눅 13:2-3

2. 어디서나 누구나 회개해야 합니다.

> 행 17:30

》》 남녀노소, 지위고하를 불문하고 누구나 회개해야 합니다.
어느 시대, 어느 장소에 살든지 회개해야 합니다.
세상에 의인은 하나도 없기 때문입니다.

회개하지 않으면
폼페이성의 멸망
로마제국의 멸망 이유
1) 이혼의 급증
2) 치솟는 세금
3) 성적 타락
4) 군비를 강조함
5) 종교의 부패

3. 하나님은 모든 사람이 회개하기를 원하십니다.

> 벤후 3:9

》》 하나님께서는 모든 사람이 회개하여 구원받기를 바라십니다.
   그래서 오래 참으십니다. 그러나 영원히 참지는 않으십니다.

4. 하나님은 악인이 회개하는 것을 기뻐하십니다.

> 눅 15:7

》》 믿지 않는 악인이 회개하고 하나님을 믿으면
   하나님은 의인 아흔아홉으로 인하여 기뻐하시는 것보다 더 기뻐하십니다.

B * 회개하지 않는 패역은 더 밉습니다

1. 회개를 지연시키는 마귀의 핑계를 극복해야 합니다.

》》 마귀는 다양한 방법으로 회개를 지연시켜서 결국 회개하지 못하게 하며 구원받지 못하도록 합니다. 서로 관련이 있는 내용을 줄로 연결해 보십시오.

* 범위 ·	· 회개할 정도로 죄가 크지 않다는 것
* 크기 ·	· 나만 죄인이 아니라는 것
* 시기 ·	· 아무도 모르니 회개할 필요 없다는 것
* 공개 ·	· 회개하기에 너무 이르거나 늦었다는 것

2. 회개한 사람이 구원받습니다.

> 눅 23:39 - 43

》》 예수님 양편에 달린 강도들은 대조적인 모습을 보였습니다.

한 사람은 예수님을 욕했고 또 한 사람은 회개하였습니다.

회개한 강도에게도 핑계가 있었을 것입니다. 그러나 그는 핑계 대신 예수님께 회개했고 자신을 기억해달라고 구했습니다.

① 누구든지 □□만 하면 받아주십니다.

회개가 없이는 주님께서 받아주시는 의인이 하나도 없고, 회개하고서는 버림받을 죄인 이 하나도 없습니다.

② 무슨 죄든지 □□만 하면 사함을 받습니다.

회개 앞에서 죄의 종류나 성질이나 규모가 문제가 되지 않습니다. 예수 믿자고 하면 '나 는 죄가 많아 갈 수 없다' 고 하는 사람일수록 더 나와야 합니다.

③ 언제든지 □□만 하면 다 구원을 받습니다.

회개는 죽음 직전에도 할 수 있습니다. 비록 임종 직전일지라도 회개만 하면 주님은 결 코 물리치지 않으십니다.

예수께서는 우리에게 기도문을 가르쳐 주시면서 용서를 구하는 기도를 하라고 가르치셨 습니다(마 6:12). 즉, 용서를 구하기만 하면 용서하겠다는 말씀입니다. 어린아이들이 때로 는 잘못한 뒤에도 부모에게 잘못했다고 용서를 구하지 않습니다. 어머니는 매를 대면서까 지 잘못했다고 말하기를 재촉하지만 입을 다문 채 고집을 부리곤 합니다. 그러면 어머니가 오히려 애원을 합니다.

'이놈아, 제발 잘못했다고 말하거라.'

잘못했다고 한 마디만 하면 어머니는 다 용서할 터인데, 입을 꾹 다물고 있으니 이 얼마나 안타깝습니까?

주님께서도 얼마나 답답하시면 용서해 달라고 기도하라고 말씀하시겠습니까? 우리들이 알아서 용서의 길을 찾아야 하는데, 잘못을 하고서도 잘못했다는 말을 할 형편이 못되니 예수님께서 이렇게 기도하라고 가르치신 것입니다. 이것이 복음입니다.

이미 용서가 준비되어 있습니다. 그러나 회개 없이는 용서하지 못합니다. 그래서 어거스틴은 이렇게 말했습니다.

'하나님도 ☐☐ 하지 않는 ☐☐ 을 용서하지 못하신다.'

C * 죄는 밉지만 회개는 아름답습니다

회개의 아름다움
죄는 밉습니다.
그러나 잘못을 뉘우쳤을 때 그 이상 아름다운 것은 없습니다.
(오스카 와일드)

1. 다윗의 회개 – 개인적인 회개

> 시 51:3-4

>>> 다윗은 우리야의 아내 밧세바를 범한 후 나단 선지자의 책망을 듣고 회개하였습니다. 비록 그는 큰 죄를 지었으나 애절하게 통회했기 때문에 용서를 받았습니다(삼하 12:13).

2. 니느웨의 회개 – 민족적인 회개

> 욘 3:5-6

>>> 요나는 40일이 지나면 니느웨 성이 멸망한다고 하자, 백성들에서부터 임금에 이르기까지 회개를 했습니다. 그러자 하나님께서 뜻을 돌이켜 재앙을 내리지 않기로 하셨습니다.

스스로 나를 비판할 때 그것은 '회개' 이고, 다른 이가 나를 비판하면, 즉 비판을 당하게 되면 이것은 '심판' 입니다.

회개하지 않으면 □□ 을 받습니다.
심판을 받지 않으려면 □□ 해야 합니다.

남보다 뒤떨어지면 부끄러움을 당하게 되고
실패자가 되면 부끄러움을 당하게 되고
죄를 숨겼다가 발견되면 부끄러움을 당하게 됩니다.
주님은,
죄는 미워하나 죄인은 사랑하셨으며,
병은 미워해도 병자는 사랑하셨고,
귀신은 미워하나 귀신들린 자는 불쌍히 여기셨습니다.

생각열기

 Q1 이 시간 곧바로 회개의 기도를 드리십시오.

오, 하나님! 저는 죄인입니다.
이제 저는 죄로 말미암아 걷게 될 멸망과 진노의 길에서 돌아서서 주의 긍휼과 사
랑을 구합니다. 저의 죄를 용서하시고 십자가에서 흘린 예수님의 보배로운 피로 씻
어 주옵소서. 이제 저의 마음을 열어 당신을 나의 구주와 주님으로 영접하겠습니
다. 저를 인도하여 주의 길로 가게 하소서.
예수님의 이름으로 기도 드립니다.
아멘.

 다음 과를 준비하며

회개의 구체적인 의미와 방법에 대해 배울 것입니다.

찬송가 338장
인애하신 구세주여
내 말 들으사
죄인 오라 하실 때에
날 부르소서

15 _2부 3권 2과 회개의 의미와 방법

이 과의 주제 💬
회개는 가던 길에서 완전히 돌아서서 새로운 삶을 살기 시작하는 것입니다.

외울말씀 에스겔 18:31

마음열기

　　서른아홉 살 되던 어느 날 밤중이었습니다. 뉴톤은 자기의 배를 타고 스코틀랜드 근처를 항해하던 중 큰 폭풍을 만나 배는 항로를 벗어나 가라앉기 시작하였습니다. 그는 배가 가라앉아 물에 빠져 죽고 말 것이라고 생각했습니다. 배 안은 온통 수라장이 되었습니다. 배를 일생 탔지만 이 같은 풍랑은 처음이었습니다. 물건을 다 내던지고 흑인노예마저 던졌지만 살 길이 없었습니다.

　이 다급해진 순간 뉴톤은 어린아이였을 때 배웠던 말씀들을 기억하고 하나님께 부르짖기 시작했습니다. 방구석을 헤매면서 눈물을 뿌리며 부르짖었습니다.

　'내 어머니의 하나님이여, 당신이 있는지 없는지 모르지만, 만약 살아 계시다면 한 번만 살려주십시오. 저의 모든 죄를 용서하여 주시고 저에게 단 한 번만 기회를 주옵소서. 저를 이 죽음에서 구해주시면 일생을 주님께 바치겠습니다. 살려주기만 하면 내가 반드시 개과천선하여 주님의 사람으로 변하겠습니다.'

　생전 울어보지 못한 눈물이 어디서 그렇게 쏟아져 나오는지, 두 눈이 눈물의 샘이 된 것처럼 한없이 한없이 흘렀습니다. 그는 변화되었습니다. 이렇게 온 방을 뒤척이며 가슴을 치고 울고 있는데 노크하는 소리가 들려왔습니다.

　'선주님, 풍랑이 잠잠해졌습니다.'

Q1 지금까지 우리가 살아온 것이 제대로 산 것입니까?
특히 삶의 위기에서 하나님을 향해
진심으로 기도한 적은 없습니까?

말씀열기

　　　통증을 모르는 나환자들을 위해 헌신했던 미국의 폴 브랜트가 은퇴할 때의 이야기입니다. 나환자들에게 줄 수 있는 마지막 선물은 무엇이냐는 질문에 '그것은 아픔'이라고 대답했습니다.

　아픔 자체는 고통이지만, 그러나 그 고통 때문에 치료를 받게 됩니다.

A＊죄에 대한 가책, 올바른 후회

1. 단순한 후회가 아니라 엄숙한 뉘우침이 필요 합니다.

　　호 5:15

》 회개는 돌이키는 것입니다. 자기가 가는 길이 잘못되었음을 느끼지 않으면 돌이킬 수 없습니다.

2. 회개를 위한 근심은 구원에 이르게 합니다.

　　롬 7:24

　　고후 7:9-10

》》》 사도 바울은 고린도교회에 책망하는 내용의 편지를 보낸 것을 처음엔 후회했으나 나중엔 후회하지 않게 되었습니다. 왜냐하면 그 책망을 통해 회개를 하게 하여 구원에 이르게 하였기 때문입니다.

근심도 종류에 따라 결과가 다릅니다.

세상 근심은 멸망에 이르게 하지만, 하나님의 뜻대로 하는 근심은 구원에 이릅니다.

3. 성령의 도우심이 있어야 회개하게 됩니다.

> **요 16:8**

》》》 회개하게 하시는 장본인은 하나님이시요,
회개의 책임자는 사람입니다.
회개할 힘은 하나님이 주시고,
회개하는 것은 사람에게 있습니다.

B* 죄와 허물에 대해 고백하는 일

> **요일 1:9**

》》》 숨김없이 자백하십시오.
구체적으로 회개하십시오.
개인적이어야 합니다. 즉 '우리가 죄를 지었다'고 하지 말고, '제가 죄를 지었다'고 고백하십시오.
상처는 드러나기까지 치료할 수 없고, 잘못은 고백하기까지 용서받을 수 없습니다. 스스로 허물을 고백케 하시는 것은 우리를 위해서 그렇게 하시는 것입니다.

C* 회개한 증거로써의 배상

>>> 어떤 일은 갚을 수 없는 성격의 죄도 있으나, 경우에 따라서는 갚아야 할 죄도 있습니다. 그럴 경우 온전히 갚아야 합니다.

1. 회개에 합당한 열매를 맺어야 합니다.

> 눅 3:8

>>> 회개했다는 증거는 생활로 나타나야 합니다. 그리고 과거의 죄를 또다시 반복하면 안 됩니다. 회개란 삶과 행위 전반에 대하여 새로운 태도를 갖는 것입니다.

2. 구체적으로 배상을 해야 합니다.

> 눅 19:8

배상대상자가 없으면
배상받을 대상이 없으면
하나님께 하십시오(민 5:8).

>>> 삭개오는 자신이 물질적으로 잘못한 일에 대해 물질적인 배상을 하겠다고 했습니다. 물론 이런 배상행위 자체가 죄를 없애주는 것은 아닙니다. 그러나 이것은 회개한 이들의 결과로 나타나는 모습입니다.

D* 삶의 방향을 전환하는 것

> 겔 18:30-31

1. 다음은 회개에 대한 이해를 말하는 것입니다. (O X문제)

☐ 회개는 단순한 후회나 자책이 아닙니다.
☐ 단지 한 두 가지 죄를 중지했다고 끝나는 것도 아닙니다.
☐ 대치 혹은 바꿔치기이며, 개조하고 수리하는 것입니다.
☐ 하루에 술 다섯 병 먹던 술꾼이 세 병 마시게 된 것입니다.
☐ 열차 안에서 선행을 하는 것입니다.

눅 15:20

》》 TURNING
구령으로 말하면 '뒤로 돌아 가!' 입니다.
어느 한 방향으로 가다가 정반대 방향으로 걸어가는 것입니다.

2. 회개의 경험이란 무엇입니까?

눅 17:15 - 16

육체 ✱ 느낌 ✱ 생각하는 머리 ✱ 행동하는 의지 ✱ 영
영적 존재

3. 고아는 없습니다. 다만 미아가 있을 뿐입니다.

》》 하나님의 사랑을 받지 아니하는 인간은 이 세상에 아무도 없습니다. 단지 하나님의 사랑
을 깨닫지 못하고 살아가는 인간이 있을 따름입니다.
　고아는 아버지가 없는 사람이지만, 미아는 아버지는 계신데도 아직 아버지를 만나지 못해
서 아버지의 품에 안겨 사랑을 받아보지 못한 사람인 것입니다.

4. 아버지는 기다리고 계십니다.

>>> 아들이 꼭 잘 되어가지고 돌아오기를 바라는 것은 아닙니다. 아무래도 좋으니 무조건 돌아오라는 것입니다. 아들의 생각은 자기가 방탕하고 있었기 때문에 모든 사람들이 자기를 버린 것으로 알고 있었지만, 아버지는 그를 버리지 않았습니다. 그런데 그 아들은 그것을 몰랐기 때문에 그 동안 그런 모습으로 방황을 하였던 것입니다.

아버지의 품으로 돌아오십시오.
그 모습 그대로도 괜찮습니다.
자녀란 자녀 된 그것만으로 충분히 소중합니다.

나 같은 죄인 살리신 주 은혜 놀라와
잃었던 생명 찾았고 광명을 얻었네

찬송가 405장
이 찬송가에
'은혜' 라는 단어가
몇 번 나오는가 세어보라.

생각열기

Q1 다시 한 번 누가복음 15:11-24을 천천히 묵상하면서 읽어봅시다.
어떤 단어나 어떤 구절이 마음에 와서 닿습니까?

Q2 회개는 이론이 아닙니다. 진실한 마음에서 우러나오는 입술의 고백이 필요합니다.
회개할 마음을 달라고 먼저 기도하십시오. 그리고 지체하지 말고 이 시간 입을 열어 기도하십시오.

다음 과를 준비하며
회개의 결과인 용서함의 은총에 대하여 배우게 됩니다.

16 _2부 3권 3과 용서함 받은 이의 기쁨

이 과의 주제 💬

예수의 피로 깨끗이 씻음을 받으며, 용서함 받은 사람은 이제 새로운 마음으로 살아가게 되는 것입니다.

외울말씀 로마서 8:34-35

마음열기

모로코에 사는 어떤 사람이 선교사를 찾아가서 어떻게 구원을 얻을 수 있느냐고 물었습니다. 선교사는 그에게 네 페이지로 되어 있는 책을 보여주었습니다. 그런데 거기엔 글자가 전혀 없었습니다. 단지 페이지마다 색깔이 달랐습니다. 선교사는 그 책을 가지고 설명했습니다.

'맨 첫 번째의 검은 페이지는 인간의 죄를 상징합니다.

두 번째 빨간 페이지는 그리스도의 피를 상징합니다.

세 번째 흰 페이지는 깨끗이 씻음 받은 영혼을 상징합니다.

그리고 네 번째 황금색 페이지는 천국을 상징합니다.'

몇 년 후 이 사람이 죽게 되었을 때 아내에게 〈글자 없는 책〉을 가지고 오라고 했습니다. 아내는 그 책의 백색 페이지를 열고 말했습니다.

'여보 이 페이지를 의지하세요. 당신은 착한 사람이에요. 당신이 살아온 순결한 삶에 소망을 두세요.'

그러나 그는 고개를 좌우로 흔들며

'그렇지 않소. 빨간 페이지에 나의 소망을 걸게 해주오. 주님의 보혈이 나를 깨끗케 하신 것이오. 나는 다만 주를 의지하고 믿었을 뿐이오.'

이 나이 든 사람은 주님의 보혈을 상징하는 붉은색 페이지에 자기 머리를 두고 평안히 영원한 안식에 들어갔습니다.

 여러분은 어떤 페이지에 머리를 두겠습니까?

》》 이 글자 없는 책은 그리스도의 속죄를 뜻합니다. 즉 검디검은 우리의 죄악이 예수 그리스도의 붉은 피로 사함을 받고 희게 된다는 사실과, 그 은혜와 사랑으로 천국에서 황금 길을 걷게 된다는 것을 의미합니다.

말씀열기

대사면이 단행될 때마다 많은 사람들의 죄가 법적으로 말소되곤 합니다. 여러분은 그 대상자가 된 적이 없습니까?

이렇게 공식적인 선언과 함께 죄가 없어진다는 것은 놀라운 일입니다.

그러나 세상 법정이 알지도 못하는 죄가 또 얼마나 많습니까?

그리고 세상 법정이 삭제했다고 해서 최후 심판대에서도 면죄 되리라고 생각해서는 안됩니다. 인간의 죄를 인간이 사해준다는 것은 모순입니다. 죄인이 죄인을 용서할 수 있습니까?

A* 죄를 용서함 받는 방법은 무엇일까요?

> 계 20:11-15

1. 심리적 해결방법

》》 - 기본생각 : 죄의식은 심리적 현상이므로 심리적으로 해결할 수 있다. 자기발견이나 자기극복의 수단으로 죄의식을 벗어날 수 있다.

- 문 제 점 : 성경에서는 죄를 빚(부채)라고 했다. 빚진 자가 "나는 빚지지 않았다"라는 생각만 가지고 빚이 없어지는 것은 아니다. 죄의 문제는 관념의 문제가 아니라 사실의 문제이며 실제의 문제다.

사면대상자
교통법규 위반자

2. 보상주의 해결방법

》》 – 기본생각 : 도둑질 한 돈으로 고아원을 세우는 등 구제사업을 통해 보상을 한 것으로 생각하고 죄의식에서 벗어날 수 있다.

　– 문 제 점 : 도둑질 한 돈으로 구제사업을 하면 심리적 자책감은 감소할 수 있어도 죄가 근본적으로 사라지는 것은 아니다.

3. 화해를 통한 해결방법

》》 – 기본생각 : 내가 잘못한 일이 있으면 가서 용서를 구하고 화해하면 된다. 상대방의 잘못은 내가 용서하고 사랑하면 문제없다.

　– 문 제 점 : 화해를 한다고 과거의 잘못과 상대방에게 준 마음의 상처가 모두 사라지는 것은 아니다.

B＊ 예수의 피밖에 없습니다

> 히 9:22

》》 죄는 생명으로만 보상할 수 있고, 죽어야만 사함을 받을 수 있습니다.
　우리 모두는 죄를 지었기에 마땅히 죽어야 합니다.
　죽는 것만이 죄에 대해 대가를 치르는 것입니다.
　하나님은 죄 사함 받는 표시로 양을 잡아드리는 제사를 보여주셨습니다. 십자가는 '내가 네 죄를 사했다' 는 사인입니다.

> 벧전 1:19

》》 죄가 죽음을 가져왔다면(창 2:17, 롬 6:23)
　피가 생명을 가져왔습니다(레 17:11, 히 9:22).

```
┌ 죄 (Sin) ➡ 죽음(Death) ┐
└ 피 (Blood) ➡ 생명(Life) ┘
```

히 10:19-20

≫ 주 십자가를 지심으로 죄인을 구속하셨으니 그 피를 보고 믿는 자는 주의 진노를 면하겠네 내가 그 피를 유월절 그 양의 피를 볼 때에 내가 너를 넘어가리라

놀라운 원리
빨간색을 하얗게 보려면
빨간 유리를 통해서
빨간색을 보면
하얗게 된다.

출 12:23

찬송가 184장
나의 죄를 씻기는
예수의 피밖에 없네

≫ 이집트에 내린 마지막 재앙은 장자의 죽음입니다. 이집트의 모든 집은 이 재앙을 피하지 못했습니다. 그러나 어린양의 피를 문 인방과 좌우 문설주에 바른 이스라엘 백성들은 이 재앙을 피할 수 있었습니다.

재앙이 그 집을 넘어갔기 때문에 유월(逾越)이라 하고, 그 절기를 유월절(Passover Feast)이라고 합니다.

＊노여움이 없는 죄 – 죽은 죄(사 44:22)

＊기억도 하지 않음 – 저장된 자료를 없앰(히 8:12)

＊눈과 같이 희어짐 – 양털같이 희어짐(사 1:18)

＊시선을 흐리게 함 – 죄인이 없음(롬 4:7)

＊Atonement 속죄 – 관계가 회복됨(눅 15:20)

C * 용서함 받은 자의 삶

≫ 하나님은 우리의 죄를 용서하시면서 세 가지를 요구하십니다.

1. 용서함 받았으니 자신을 용서해야 합니다.

> 롬 8:1-2

> 롬 8:33-34

≫ 하나님께서 용서하셨다면 우리도 우리 자신을 용서하는 것이 당연합니다. 하나님이 깨끗하다고 하신 것을 우리가 다시 더럽다고 하지 말아야 할 것입니다.

2. 다른 사람을 용서해야 합니다.

> 마 6:14-15

일흔 번을 일곱 번
한 달란트는 노동자의 15년 품삯(1만 달란트와 100데나리온)

≫ 하나님의 무조건적인 용서를 받은 자들이, 조건을 걸어서 남을 심판하게 되면, 무조건 베풀었던 그 용서를 다시 조건으로 바꾸십니다. 그러므로 이웃의 허물을 따지지 말고 무조건 용서해야 합니다(마 18:21-35).

> 롬 15:7

≫ 그리스도께서 우리를 영접하신 것처럼 영접한다면
영접하지 못할 사람이 어디 있겠습니까?
그리스도가 나를 사랑하신 것처럼 이웃을 사랑한다면
사랑하지 못할 사람이 어디 있겠습니까?
그리스도가 나를 용서하신 것을 깨닫는다면
내가 용서하지 못할 사람이 어디 있겠습니까?

3. 용서받은 자로서 의인의 세계관을 가지라고 하십니다.

롬 5:20

》》 이 세계를 저주받은 세계로 생각하지 말고, 사랑 받는 세계로 보아야 합니다. 자신을 저주받은 존재가 아니라, 죄에서 용서받은 하나님의 자녀라는 생각을 갖고 살아야 합니다.

나병환자였던 나아만 장군이 옷을 벗어 제치고 요단 강물에 잠그게 될 때 그의 피부는 어린아이 같이 되었다고 했습니다(왕하 5:1-14). 이는 회개함으로 죄 씻음을 받은 믿음의 새사람을 상징합니다.

서로 줄을 이어보십시오.

아합 ✳	✳ 세상
나아만 ✳	✳ 나
문둥병 ✳	✳ 죄
계집아이 ✳	✳ 양심
엘리사 ✳	✳ 교회
요단강 ✳	✳ 보혈
어린아이처럼 ✳	✳ 회개함으로 씻음 받은 새사람

생각열기

Q1 아직도 자존심이 남아있습니까? 그것은 사랑이 아닙니다. 사랑을 받을 수도, 사랑을 구할 줄도 알아야 합니다.

주님을 부인한 제자 베드로는 뉘우치고 통곡했다
"당신도 저 나사렛 예수와 함께 다닌 사람이지요?"(막 14:67).

다음 과를 준비하며

지금까지 했던 '회개'에 이어서 '믿음'에 관해 공부하겠습니다.

17 _2부 4권 1과 믿음이란 무엇입니까

이 과의 주제 💬
'구원에 이르는 믿음'은 그리스도를 시인하는 것이며, 구주로 영접하고, 내 삶을 그 분께 맡기는 것입니다.

외울말씀 로마서 10:9-10

마음열기

태국에는 콰이강이라는 강이 있고, 그곳에는 다리가 있습니다. 그런데 일본이 동남아를 지배하느냐 못하느냐 할 만큼 그 콰이강의 다리는 중요한 전략적 요지였습니다. 그래서 일본군이 이곳에 다리를 놓고 있었는데, 이때 영국 포로들을 붙잡아다가 강제부역을 시켰습니다. 한참 다리를 놓아가고 있었는데, 어느 날 사건이 생겼습니다. 다리 건설을 위해 쓰는 중요한 장비 하나가 없어진 것입니다. 이런 일이 생기자 일본군은 지금 일하고 있는 영국 포로들은 모두 큰 마당에 집합시킵니다. 그리고 기관총을 들이댑니다.

'너희 중에 다리 건설을 방해하는 놈이 있다. 그래서 장비를 훔쳐간 것이 분명하다. 자진해서 나와라. 만일에 나오지 않으면 여기에 있는 사람들 모두를 다 죽이겠다. 한 놈도 남기지 않고 모조리 쏴 죽여 버리고 말겠다!'

이런 무서운 위협 앞에 아무도 나오지 않았습니다. 그러자 일본군은, 자기가 셋까지 셀 동안에 나오지 않으면 가만 두지 않겠다고 합니다. 셋을 셀 때까지 기회를 준다고 했습니다. '하나~, 두울~, 세에~.'

막 셋을 세려는 순간, 청년 하나가 일어나서 앞으로 나왔습니다.

'그럼 그렇지! 네 놈이로구나!'

'그렇습니다. 내가 그 장비를 훔쳤습니다.'

그 말이 떨어지기가 무섭게 총구에서 불이 뿜어져 나왔습니다. 요란한 소리와 함께 그 청년은 피를 흘리면서 쓰러져 죽었습니다.

Q1 어느 날, 그 잃어버렸다고 한 장비가 창고에서 발견되었습니다. 그날 총에 맞아 죽은 청년은 훔치지 않았습니다. 그러면 왜 자진해서 앞으로 나갔던 것입니까?

Q2 죄가 없는 한 사람이 대신 진 십자가로 인하여 죄인이 용서함을 받는다는 원리를 아시겠습니까? 예수 그리스도께서 바로 당신을 위해 십자가에서 피를 흘리신 것은 어떤 의미인가를 생각해보십시오.

말씀열기

　이번 과부터 '구원에 이르는 믿음' 에 대해 배우게 됩니다.
　'구원에 이르는 믿음' 은 신앙고백적인 믿음이요, 생명에 이르는 믿음이요, 하나님께서 선물로 주신 믿음입니다.

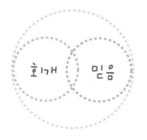

A*회개와 믿음

1. 회개와 믿음은 불가분의 관계입니다.

　막 1:15

»» 회개와 믿음은 동전의 앞뒷면처럼 떨어질 수 없는 관계입니다.
　회개는 죄를 떠나는 것이고
　믿음은 하나님께 돌아와 주를 의지하는 것이기 때문입니다.

2. 회개와 믿음은 동시에 일어납니다.

　막 10:21

회개와 믿음
회개는 대문이고
믿음은 현관이며
성결은 집이다.
(웨슬리)

》》 영원한 생명은 내가 무엇을 행함으로 얻을 수 있는 것이 아니라
내가 가진 것을 포기하는 아픔에서 시작됩니다.
나에게 중요했던 것을 하나님 앞에서 포기하라는 것입니다.
이것이 회개입니다.
예수님께 나의 삶을 전적으로 맡기고 예수님을 따르는 것이 믿음입니다. 포기와 위탁, 회개와 믿음은 동시에 일어나는 것입니다.

B * 구원에 이르는 믿음

》》 구원에 이르는 믿음은 예수 그리스도를 주님으로 시인하고,
나의 구주로 영접하고, 내 삶을 그분에게 맡기므로 시작됩니다.
'구원에 이르는 믿음' 은 무엇일까요?

1. 예수 그리스도를 나의 주님으로 시인하는 것입니다.

> 마 10:32-33

》》 믿음은 선포된 복음을 받아들임에서 시작합니다. 그리스도를 나의 주님이라고 분명하게 시인하는 일은 무엇보다 선행되어야 하는 매우 중요한 일입니다.

> 롬 10:9-10

》》 예수님을 마음으로 받아들일 뿐 아니라, 입으로 고백하는 신앙이 중요합니다. 고백의 핵심은 예수께서 우리를 위해 고난당하시고 죽으셨다는 것이고, 우리의 구세주(그리스도)가 되신다는 것입니다.

기독론과 속죄론

*기독론 : 그리스도의 인격을 설명함

*속죄론 : 그리스도께서 구주로서 하신 일을 설명함. 속죄론의 정점은 그리스도의 십자가다. 속죄론은 둘로 나눈다.
1) 주관설
2) 객관설

우리를 위해서(for us)

① 1:1 대신(Substitution)
② 1:All 대표(Representative)

> 사 53:4-6

≫ 예수님의 고난은 우리의 죄 때문인 것을 고백하는 신앙이 중요합니다.

> 롬 6:3-5

≫ 믿음은 예수의 죽음 안에 우리의 죽음이 포함되었음을 인정하는 것입니다. 그리고 예수 그리스도의 부활 안에 우리의 부활도 연합되어 있음을 받아들이는 것입니다. 우리는 믿음으로 그리스도와 함께 죽고, 그리스도와 함께 부활했습니다.

세례는 바로 우리가 그리스도의 죽음과 부활에 연합되어 있음을 표현하는 것입니다.

2. 그리스도를 나의 구주로 영접하는 것입니다.

> 요 1:12

≫ 의사의 처방을 따라 약을 받았으면 그 약을 먹어야 병을 고칠 수 있습니다. 예수 그리스도가 구세주라는 사실을 지식으로 알기만 해서는 안 됩니다. 그 분이 나의 구세주라는 사실을 받아들여야 합니다. 그리고 하나님께서 당신을 받아주셨다는 사실도 받아들여야 합니다.

'안다' 는 것은 머리로만 아는 지식이 아니라 인격적인 만남과 교제를 통하여 아는 것을 말합니다(요 17:3).

계시

어머니를 찾아나서는 것이 아니라, 이미 그분이 내 곁에 계신 것임

> 창 15:6

》》아브라함을 의롭다 하셨습니다. 도덕적으로 깨끗해서 의로운 것이 아니라 믿음으로 받아들이자 의롭다 칭하셨습니다(稱義).

3. 그리스도에게 전부를 맡기는 것입니다.

> 시 37:5

》》그리스도를 나의 주님으로 영접한 이후에는
내가 나의 주인이 아니라 그리스도가 주인이시기 때문에 그분에게 모두 맡겨야 합니다. 나의 일을 성취하시는 분도 그리스도이십니다.

> 딤후 1:12

》》내가 의탁한 것(내가 그분에게 맡긴 것)을
그리스도께서 마지막 날까지 능히 지켜주실 것을 확신합니다.

C*몸으로 믿는다는 것

> 롬 12:1

》》머리나 가슴만이 아니라 온 몸으로 주님을 믿습니다.
믿음은 인간 삶의 어떤 부분에만 관계된 일이 아니고 전 인격과 전체 생활과 관계가 있습니다. 이것을 사람의 신체와 관련해서 생각해 볼 수 있습니다.

1) 머리부분(Logos)

머리는 지적인 활동을 담당합니다. 그래서 이지적이고 지적인 믿음을 의미합니다. 로고스는 말씀이란 의미인데 말씀을 외우고 분석하고 연구하는 것입니다. 이런 지적인 믿음은 불신자에게도 있고 심지어 마귀에게도 있습니다.

2) 가슴부분(Pathos)

가슴은 느낌을 담당합니다. 감정적인 믿음을 말합니다. 파토스는 정열을 의미하는데 쉽게 흥분하기도 하고 쉽게 풀이 죽기도 합니다. 감정적인 믿음은 상황에 따라 쉽게 흔들립니다.

3) 마음부분(Ethos)

마음은 의지적인 결단을 말합니다. 에토스는 윤리, 행동의 의미가 있습니다. 결심하고 행동하는 부분입니다.

믿음은 생의 선택, 결단, 위임을 말합니다.
선택이란, 예수 그리스도를 나의 주님으로 □□하는 일이고
결단이란, 예수를 나의 구주로 □□하는 일이며
위임이란, 나의 모든 것을 예수 그리스도께 맡기는 일인 것입니다.

생각열기

Q1 '용욱이의 편지' 이야기 글을 읽고,
믿음에 대해서 말해봅시다.

Q2 '믿음은 우리가 매어달리는 한 가닥의 끈이며, 그것으로써 우리가 영양을 받는 유일한 음식' 이라는 말의 뜻을 묵상해 봅시다.

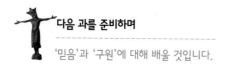

다음 과를 준비하며

'믿음'과 '구원'에 대해 배울 것입니다.

18 _2부 4권 2과 영생에 이르게 하는 믿음

이 과의 주제 💬
'구원에 이르는 믿음'의 결과는 영생입니다.

외울말씀 요한복음 11:25 – 26

마음열기

여기에 계란이 있다고 합시다. 계란 후라이를 하려고 합니다. 껍질이 깨지는 순간 다시는 살 가능성이 없어집니다. 육이 깨지는 순간 영원한 끝장입니다. 그러나 같은 계란이라 하더라도 닭이 그 알을 스무 하루 동안 품고 굴리게 되면 어떻습니까?

기도원에서 놓아기르는 닭이 어느 숲 속에 알을 계속 낳고는 거기에 가서 품고 있었습니다. 별관 개축을 위해 주변을 정리하다가 발견했습니다. 그 계란들을 가져다가 돌침대 이부자리 밑에다가 두었더니 어떻게 되었을까요? 거기에서 병아리가 깨어 나왔습니다. 그 껍질이 깨지는 순간 거기에서 새 생명이 나온 것입니다.

자, 같이 계란의 껍데기가 깨졌지만 아까 것과 전혀 다릅니다.

'죽어도 살겠고, 깨져도 살겠고~' 라는 말씀을 이해하시겠습니까?

부화가 되지 않으면 그것은 곯은 계란입니다.

우리는 무정란이 아닌 것입니다. 유정란입니다. 우리는 이미 생명을 가졌습니다. 우리는 이미 영생을 가진 것입니다. 우리는 영원히 사는 것을 믿습니다.

Q1 생명이 있다는 말에 대해 말해봅시다.
그리고 일시적인 생명인가, 영원한 생명인가도 말해봅시다.

말씀열기

이번과에 나오는 중요 낱말들

믿음 ✳ 구원 ✳ 영생 ✳ 천국 ✳ 지옥

A ✳ 구원에 이르는 믿음

1. 회개는 크게 두 가지로 나눕니다.

>>> 구원에 이르는 회개 : 주께로 돌아오는 1회적인 회심
>>> 성화를 위한 회개 : 삶에서 계속되는 죄의 고백(자백)

> 요 13:10

>>> 주님께로 돌아오는 일(방향전환)은 한 번뿐입니다. 그러나 예수를 믿으면서도 짓게 되는
죄에 대해서는 수시로 회개해야 합니다.
　목욕은 회심을 말하고, 발을 씻는다는 것은 반복적인 자백을 뜻합니다.

2. 믿음에도 두 가지가 있습니다.

>>> 구원에 이르는 믿음 : 신앙고백적인 믿음
>>> 성장하는 믿음 : 역사(役事)하는 믿음

> 막 8:29
> 막 9:23

>>> '구원에 이르는 믿음' 은 '있는가 없는가' (有無)로 표현합니다.
　이 믿음이 없으면 구원을 얻지 못합니다. 꼭 있어야 하는 믿음입니다.

회개
✳일회적 회심(conversion)
✳성화적 자백(confession)

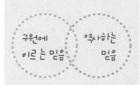

>>> 그런데 또 다른 경우는 믿음이 좋다고도 하고 나쁘다고도 합니다. 믿음이 크다고도 하고 작다고도 표현하는 믿음이 있습니다. 때로는 많다 적다(多少)로 말하기도 합니다. 이 믿음은 클수록 큰 능력으로 나타나며, 더욱 주 안에서 승리하는 삶을 살게 될 것입니다.

물론 이 둘은 완전히 구별되는 것은 아닙니다. 공통부분이 있습니다. 하지만 편의상 구분한 것이며, 본과에서는 '구원에 이르는 믿음'에 관해 주목하겠습니다.

3. '구원에 이르는 믿음'은 곧 구원에 이르게 합니다.

> 요 3:16

> 3:18

>>> 불신앙과 의심은 다릅니다.

때로는 약해져서 의심이 생긴다 하더라도 '구원에 이르는 믿음'으로 인한 구원이 흔들리는 것은 아닙니다.

B * 구원은 무엇입니까?

>>> 구원을 받는다는 것은 어떻게 된다는 말입니까?

무엇으로부터 구원을 받는 것일까요?

1. 죄를 용서함 받아 의인이 되고, 거듭남으로 하나님의 자녀가 됩니다.

상실됨으로부터의 구원이 있습니다.

> 눅 15:32

죄와 율법으로부터 구원을 받습니다.

골 1:14

≫ 우리는 죄를 지을 수밖에 없는 운명에 있었습니다. 이 운명에서 예수로 말미암아 구원을 얻은 것입니다. 죄의 결과와 죄의 유혹으로부터 구원을 받은 것입니다. 또한 우리는 죄와 사망의 법에서 해방되지 못한 존재였습니다(롬 8:1). 그러나 예수 그리스도의 십자가 은혜로 값없이 구원함을 받았습니다(롬 3:23-25).

사망과 사탄으로부터 구원을 받습니다.
우리는 귀신의 유혹을 이길 수 없지만, 예수의 이름으로 자유할 수 있습니다.

롬 8:15

2. 그리스도가 내 안에 사심으로 삶이 풍성해집니다.

골 1:27

요 10:10

엡 4:13

≫ 그리스도가 우리 안에 거할 때 예수 그리스도를 알아가는 영적인 삶의 축복을 풍성하게 받게 됩니다.
구원의 역사 가운데 병이 치유되는 역사도 일어납니다.
위험으로부터와 세속화와 타락으로부터의 구원도 있습니다.

3. 영원한 생명을 얻으며, 하늘나라에서 후사로서 유업을 상속받습니다.

구원과 영생
구원은 소극적이고, 영생은 적극적이다.
구원은 과거로부터, 영생은 미래적 형태이다.
영생은 완전한 구원을 의미하는 것이다.
하나님의 무한한 자원에 동참하는 삶을 영생이라고 한다.
영생은 질적으로 다른 삶이며, 시간적으로도 하나님의 영원에 동참하는 삶이다.
영생은 진정한 웰빙이랄 수 있겠다.

요 11:25-26

〉〉〉 믿는 자는 영생을 가졌습니다. 그는 죽음에서 생명으로 옮겨갔습니다(요 5:24). 우리가 이 세상을 떠날 때 하나님의 나라에 들어가는 것입니다. 이 최종적인 구원은 마지막 구원 (Final Salvation)을 의미합니다.

벧전 1:3-4

엡 1:18

C* 영원한 천국과 지옥

〉〉〉 믿는 자의 최후 목표는 천국(神國)입니다. 천국의 소망을 지닌 그리스도인은 하나님 나라 가 완성되는 새 하늘과 새 땅을 사모합니다.

1. 천국은 어떤 곳입니까?
천국은 지역에 국한된 것이 아닙니다.
하나님 나라를 묘사하는 용어들 대부분 거주할 장소로 묘사하여 오해를 불러일으키고 있습 니다. 그러나 이것은 볼 수 있는 장소적인 의미보다 하나님의 뜻이 지배하는 상태를 말합니 다.
천국은 현존함과 동시에 미래적입니다.

현재적 측면 마 12:28

천국
already not yet

하나님의 능력이 나타나는 곳에 하나님의 나라가 이미 들어왔다는 것을 강조합니다. 또한 미래에 있어서 완성될 것이라는 점을 가리킵니다.

미래적 측면 벧후 1:10-11

2. 지옥의 불을 생각해보십시오.

> 계 20:11-15

> 마 3:12

>>> 천국과 지옥은 기독교 신앙에 있어서 정말 중요한 교리입니다.
지옥이 없다고 주장한다고 해서 지옥이 없어지는 것이 아닙니다.
예수를 믿지 않으면 지옥에 가는 것입니다.
지옥은 어떤 곳입니까?
지옥은 영원히 꺼지지 않는 불이 있는 곳입니다.
어두움이 거하는 곳입니다.
마귀와 함께 거하는 영원한 곳입니다(마 25:41).

생각열기

Q1 예수를 믿고 거듭나는 순간 이미 천국은 시작된 것입니다. 당신의 마음과 삶은 하나님이 지배하시는 천국입니까? 아니면 아직도 지옥입니까? 495장 찬송가 가사를 생각하며 불러보십시오.

Q2 만일에 지옥이 없다면 반드시 예수 믿으라고 할 필요가 없습니다. 또한 그렇게 애써 전도할 이유도 없는 것입니다. 그러나 참으로 지옥과 천당이 있다면 우리는 정말 어떻게 해야 할 것입니까?

다음 과를 준비하며

영생으로 들어가는 '죽음'에 관해 살펴보겠습니다.

천당과 지옥
잘 선택하라
당신의 선택은 짧다
그러나 무한하다!

19 _2부 4권 3과 영생으로 들어가는 죽음

이 과의 주제 💬
구원받아 영생을 얻은 그리스도인은 죽음을 통하여 영원한 나라에 들어갑니다.

외울말씀 요한복음 14:1-3

마음열기

한 젊은이가 교수에게 질문했습니다.
'교수님, 사람이 죽기 얼마 전에 내세를 위해 준비하면 될까요?'
'그야 몇 분 전이면 되지.'
'그것 참 좋군요.'
자기 앞에 놓여진 수십 년의 세월을 만끽할 수 있다는 생각을 가지고 젊은이는 유쾌하게 대답했습니다.
'저 역시 같은 생각입니다.'
그러고는 교수실을 나가려 하는데 교수가 젊은이에게 다시 물었습니다.
'자네는 그런데 언제쯤 죽을 것인지 알고 있나?'
젊은이는 떨떠름한 표정으로 내키지 않는 대답을 했습니다.
'그거야 어떻게 알 수 있겠습니까?'
'그렇다면 지금 바로 준비해두는 것이 좋지 않을까?'

Q1 우리가 언제부터 죽음을 준비하면 좋겠습니까?

Q2 죽음은 무엇입니까?

Q3 죽음에 대한 태도는 삶에서 어떻게 나타납니까?

말씀열기

　　인간은 계속 살 것인가? 아니면 하나의 거품처럼 사라져 버릴 것인가? 이 문제는 참으로 절박한 문제입니다. 또 이에 대한 해답보다 더 중요한 것은 아무 것도 없습니다. 이 문제에 대한 의문은 우리 안에서 우리의 모든 사고와 감정에 영향을 미치고 있습니다.

A＊인간은 불멸합니다

1. 물질은 불멸합니다.

막 12:26 - 27

》》 에너지 보존의 법칙을 생각해보십시오. 변화는 하지만 아주 없어지는 것이 아니라고 합니다. 따라서 하나님의 최대 걸작인 인간의 영혼에도 그 원리가 적용하는 것은 마땅하다고 봅니다.

2. 하나님과의 교제는 영원한 생명의 기초가 됩니다.

히 11:5

창 5:24

》》 하나님은 그들을 죽음이 끊을 수 없는 친밀하고 지속적인 교제의 생활로 인도하십니다. 그리하여 우리의 생이 끝나는 날, 죽음이 막다른 골목이 아니고 위대한 동반자이신 하나님과 동행해 나가는 길임을 알게 될 것입니다.

찬송가 224장
저 요단강 건너편에
화려하게 뵈는 집
주 날 위해 예비하신 집일세
그 강가에 생명나무
꽃이 만발하였네
주의 낯을 그곳에서 뵈오리

찬송가 231장
주가 맡긴 모든 역사
힘을 다해 마치고
밝고 밝은 그 아침을 당할 때
요단강을 건너가서
주의 손을 붙잡고
기쁨으로 주의 얼굴 뵈오리

찬송가 541장
저 요단강 건너편에
찬란하게 뵈는 집
예루살렘 새 집에서
주의 얼굴 뵈오리

3. 영생의 개념

요 17:3

>>> 우리가 영생에 들어가는 것은 그리스도 안에서 하나님과의 관계를 통해서입니다. 이 관계는 이 세상에서 시작되어 중단되지 않고 다음 세상으로 계속되는 것입니다.

요 11:25 - 26

요 5:24

>>> 우리는 지금 이 땅에 살면서 하나님과 기도로 무선통신을 하고 있습니다. 하지만 우리가 하늘나라에 가면 진짜 교제가 이루어집니다. 정말 더 좋은 곳에서 영생을 직접적으로 경험할 것입니다. 우리는 이미 죽음을 뛰어넘은 사람들입니다. 영생의 차원에 도달한 것입니다.

요 14:1 - 3

B* 죽음의 성서적 의미

1. 죽음이란 자는 것입니다.

마 9:24

>>> '잔다' 는 말 속에는 '깨어남' 이 전제되어 있습니다.

2. 죽음은 결혼식입니다.

> 마 25:1-13

》》죽음을 통하여 지상의 사람이 천국 백성이 됩니다.
죽음은 신랑을 맞이하는 순간입니다.

3. 죽음은 또 하나의 출생입니다.

> 눅 16:22

》》우리는 하나님 나라로 들어가며 좁고 컴컴한 통로를 통과합니다. 그것을 이 편에서 보면
죽음이라고 하지만, 저편에서 본다면 영원한 세상의 출생인 것입니다.

4. 죽음은 낡은 옷을 벗어버리고 새 옷을 입는 것과 같습니다.

> 벧후 1:13-14

》》죽음은 이 낡은 흙으로 된 셋집에서 벗어나 불멸의 집으로 가는 것입니다. 사망이 건드리
지 못하며 죄가 다시 더럽힐 수 없는 몸으로 되는 것입니다. 주님의 영광스러운 몸과 같이
되는 것입니다.

5. 죽음은 본향으로 가는 것입니다.

> 벧전 2:11

> 행 7:55-56

찬송가 290장
괴로운 인생길 가는 몸이
평안히 쉴 곳 아주 없네
걱정과 고생이 어디는 없으리
돌아갈 내 고향 하늘나라

>>> 인생의 모든 길의 마지막에는 아무도 없는 집이 아니라, 우리와 이렇게 오랫동안 함께 걸어온 그 예수님이 몸소 맞이해 주시는 하늘의 집이 우리를 기다리고 있는 것입니다.

C * 죽음에 대한 성도의 자세

1. 죽음과 삶을 같이 엮어서 해석해야 합니다.

죽음이라고 하는 것은 인생의 한 과정입니다. 그런데 죽음은 생에 있어서 마지막 성장단계(final stage of growth)입니다.

삶이 무엇인가를 알려면 죽음이 무엇인가를 알아야 합니다.

중요한 만큼 죽음도 중요합니다.

삶과 죽음은 둘이 아니라 하나이기 때문입니다.

전 12:7

2. 살아도 좋고 죽어도 좋다는 담대한 믿음의 자세를 가집시다.

빌 1:20-25

* 예수님께서 먼저 재림하시면 (눅 23:46)

* 내가 먼저 하나님 나라 가면 (계 22:20)

3. 우리 모두는 죽음을 준비해야 합니다.

마 24:44

생각열기

본과의 중요낱말

죽음 영생 내세 구원
준비 영원 재림 종말
결혼 본향 불멸 믿음

Q1   죽음에 대해서 각자 나름대로 정의해 보십시오.

Q2   죽어가는 이의 모습을 직접 본 적이 있습니까?
특히 가까운 이의 경우는 없었습니까?
그때의 모습과 느낀 점은 무엇입니까?

Q3   나에게도 과연 죽음이 다가올 것이라고 실감됩니까?
언제쯤 어떻게 임할 것 같습니까?

Q4   지금 이 시간, 혹은 바로 얼마 후에 죽는다고 한다면 무엇을 어떻게 할 것입니까?

Q5   죽음이 두렵습니까? 두렵다면 왜 그렇게 느끼십니까?

Q6   만일 내가 오늘밤 이 세상을 떠난다면 그것이 많은 사람들에게 큰 손실이 될 것이
라고 생각됩니까?

Q7   하나님 앞에는 기쁜 마음으로 설 자신이 있습니까?
그 이유는 무엇입니까?
그렇다면 나는 지금 무엇을 어떻게 해야 할까요?

다음 과를 준비하며

지금까지 '회개와 믿음'에 관해 살펴보았습니다.
이제 하나님의 역사인 거듭남에 관하여 알아보겠습니다.

바울의 기적은 믿음의 능력으로
부터 나온 것이다
"일어서시오 하고 말하자 그는
벌떡 일어나서 걷기 시작하였다"
(행 14:10).

20 _2부5권1과 영적으로 거듭난다는 것

이 과의 주제 💬
사람이 다시 태어나야 한다는 것, 즉 거듭남의 뜻과 필요성을 배웁니다.

외울말씀 요한복음 3:3

마음열기

영국에서 한번은 귀족들의 파티가 있었습니다. 아리따운 여인이 귀족들 앞에서 특송으로 찬송을 불렀습니다. 그는 감정을 잘 살려서 불렀기 때문에 박수갈채가 대단했습니다. 그 여인이 답례를 하고 내려오는데, 그 귀족들 사이에 앉았던 한 사람이 벌떡 일어나서 정중하게 인사를 하고는 물었습니다.

'당신의 노래를 잘 들었습니다만, 그 찬송은 그대 혼자 부른 겁니까? 아니면 하나님과 함께 부른 노래입니까?'

즉 거듭났느냐는 질문이었습니다.

'당신이 부른 찬송은 사람들에게 어떤 느낌을 줄 수는 있었지만 하나님께는 아무런 관계가 없는 찬송이 될 수 있습니다.'

이러한 냉정한 지적에 방금 전까지 즐거워하던 그 아가씨의 얼굴이 변했습니다. 이것을 본 노신사는 말을 이었습니다.

'당신에게 충격을 준 것은 대단히 미안하고 예의에 벗어나는 줄 압니다. 용서하시오. 그러나 당신의 영혼이 매우 불쌍하기 때문에 말씀드린 것이올시다.'

이 여인은 그날 밤새도록 잠을 이룰 수가 없었습니다. 속이 상해 눈물이 흐르고, 눈만 감으면 그 사나이의 얼굴이 눈앞에 아른거렸습니다. 그가 그렇게 부끄러움과 충격을 당하기는 처음이었습니다.

Q1 괴로움 속에서 뒤척이던 그날 밤, 그 여인은 하나님의 사랑을 발견하기에 이르렀습니다. 잠자리를 박차고 일어나 영감의 글을 쓰기 시작했습니다. 그가 낯선 사나이로부터 창피를 받지 않았다면 아주 얌전하고 아름답고 상냥하고 유능하게 보였을지는 몰라도 하나님께는 그 영혼이 잃어버릴 뻔했습니다.
당신은 구원의 확신이 있습니까? 거듭남의 확신이 있습니까?

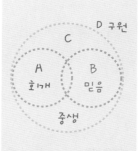

찬송가 339장
큰 죄에 빠진 날 위해
주 보혈 흘려주시고
또 나를 오라 하시니
주께로 거저 갑니다

말씀열기

여러분은 자기가 믿음 안에 있는지를 스스로 시험해 보고, 스스로 검증해 보십시오. 여러분은 예수 그리스도께서 여러분 안에 계시다는 것을 알지 못합니까? 모른다면 여러분은 실격자입니다. 그러나 나는 우리가 실격자가 아니라는 것을 여러분이 알게 되기를 바랍니다.

A * 새 생명을 심는 일

》》 구원을 얻기 위해 인간이 하는 것은 '회개와 믿음' 이라고 했습니다. 그러나 또 한편으로는 하나님의 거듭나게 하시는 중생의 역사가 없이는 불가능합니다.
회개와 믿음은 외적인 표현으로, 하나님의 부르심에 대한 인간의 반응인데 반해, 중생은 내적 변화로, 하나님 편에서 새 생명을 심는 일이라 할 것입니다.

요 3:3-4

1. 거듭남은 사람의 마음속에서 이루어지는 것입니다.

》》 외모의 변화가 아니라 내적 본성의 변화입니다.

regeneration
from top
from above
from the beginning
again

거듭난다는 것은
공간적으로는 위에서, 하나님께로부터 이루어지는 것이고
시간적으로는 다시, 새롭게 태어나는 것을 말합니다.
거듭남은 하나님의 구원의 시작으로 새 생명을 심는 일입니다.

거듭난다는 뜻은 '다시 난다', '새로 난다' 는 말입니다. 즉, 중생(重生) 혹은 신생(新生)이라고 합니다. 그러나 거듭난다는 것은 사람이 늙은 후 다시 모태에 들어갔다가 나오는 물리적인 현상이 아닙니다. 하나님의 자녀로 바뀌는 영적 부활을 말합니다. 거듭남은 하나님의 구원의 시작입니다.

2. 거듭남은 생명의 씨를 심는 것입니다.

> 갈 4:6

》》 거듭남은 하나님의 영이 우리 마음 가운데 오심, 즉 생명의 씨가 우리에게 심긴 것을 말합니다. 식물로 말하면 마치 종자가 밭에 떨어지는 것과 같은 이치입니다. 아무리 좋은 화분이 있고 싱싱한 거름을 준다 해도 씨앗이 들어가지 않으면 아무 것도 거둘 수 없습니다. 아무리 건강한 여자라 할지라도 혼자서는 임신을 할 수가 없습니다.

새로운 변화
물의 화학기호는 H_2O입니다. 수소(H) 둘에다 산소(O) 하나입니다. 적당한 비율로 만나면 물이 됩니다.
물리적 변화(형체)가 아니라 화학적 변화(본질적 변화)입니다.

＊새가 독사의 알을 품으면
＊더러워진 샘 위에 세워진 펌프에 아름다운 색을 칠하면
＊개꼬리를 3년 묻으면
＊자석에 나뭇조각이나 돌멩이를 가까이 하면
＊강아지에게 코끼리 젖을 먹이면
＊조화에다 물을 주거나, 호박에다 매직으로 줄을 그으면

3. 거듭남은 하나님 나라에 이르는 문입니다.

요 3:5

>>> 기독교를 연극하는 사람과
기독교 신앙 안에서 살아가는 사람
우리의 본질이 변화될 때 하나님 나라에 이르게 됩니다.

B* 가장 근본적인 삶의 변화

1. 거듭남은 삶의 목적이 변하는 것입니다.

롬 14:8

>>> 구원을 다른 말로 표현하면 '생의 목적 전환' 입니다. 교회에 나와도 목적과 동기가 하나님 중심이 아니라 자기중심적이면 아직 거듭나지 못했습니다. 목적이 바뀌어 지지 않고 방법만 교회 식으로 바뀌어졌다면 그는 기독교인이 아닙니다. 방법에 있어서는 다소 잘못이 있어도 하나님께서 용납하시지만, 목적이 바뀌어 지지 않으면 그리스도인은 하나님께 영광을 돌리기 위해서 사는 사람입니다.

2. 목적은 곧바로 바꿀 수 있습니다.

수 24:15

>>> 여호수아가 이스라엘 백성들에게 섬길 자를 오늘 택하라고 했듯이, 지금 이 순간 바꾸십시오. 방법을 바꾸는 것은 시간이 걸려도 목적을 바꾸는 것은 지금 당장 해야 합니다.

목적의 전환

똑같은 물건이라도 목적이 바뀌면 전혀 다른 물건이 된다. 칼은 사람을 죽이는 목적으로 사용될 수도 있지만 사람을 살리는 수술 칼이나 음식을 만드는 식칼이 될 수도 있다. 목적이 바뀌면 가치, 의미, 존재가 달라지는 것이다.

회심과 개심

개심에서는 사람이 자신의 나쁜 습관들을 떨쳐 버리고 좋은 습관을 갖기로 결심하지만, 거듭남의 체험을 하는 순간에는 하나님으로부터 새로운 성품을 부여받아 죄악생활을 자연적으로 끊게 한다.

>>> 당신의 자동조종장치, 당신의 사고방식을 바꾸십시오.

엡 4:23

C* 명확하고도 즉각적인 체험

1. 거듭남은 즉각적 체험입니다.

눅 19:9

>>> 거듭나는 체험에 이르기까지는 다소 시간이 걸릴 수 있으나, 거듭나는 것 자체는 순간적입니다. 혹 본인이 깨닫지 못하는 경우라도 그 경험 자체만은 성령이 마음에 들어오는 순간 이루어집니다.

2. 거듭남은 일회적인 체험입니다.

요 13:10

>>> 거듭남은 일생에 한 번 있는 단회적인 것입니다. 그러므로 기도할 때마다 거듭나게 해달라고 할 필요가 없습니다. 거듭남은 생명의 시작이요 그것은 단 한번 뿐입니다.

3. 거듭남은 명확한 체험입니다.

엡 2:3-5

세 종류의 출생
* 첫 번째 출생–육체적인 탄생
* 두 번째 출생–영적인 거듭남
* 세 번째 출생–죽음, 새 생명
　　　　　의 문

》》 그리스도인은 예수님을 만나 거듭나기 전에는 죄로 인해 죽을 수밖에 없는 존재였습니다. 그러나 예수를 만난 이후 그 은혜로 인해 구원받은 존재가 된 것은 분명한 사실입니다. 거듭남은 육체의 출생만큼이나 명확한 것입니다. 언제 어디서 태어났는지 알듯이 자신이 언제 어디서 거듭났는지도 명백합니다.

그러나 자신이 언제 어디서 태어났는지 모른다 해도 현재 존재하고 있다는 사실은 분명하듯이 자신이 거듭난 장소와 날짜를 모른다고 거듭나지 않은 것은 아닙니다. 거듭났다는 사실이 중요합니다.

출생과 죽음
한 번 태어나면
두 번 죽고
두 번 태어나면
한 번 죽는다

최초의 출생은 우리에게 □□□인 생명을 부여하는데,
거듭남(중생)의 의미는 □□생명을 가져오며,
최초의 출생은 □□□□이고 나의 의지와 관련 없이 태어나게 되었으나,
거듭남은 나의 □□□인 의지의 결단에 의해서이며,
육체적인 생명의 출생은 결국 □□으로 그치나,
거듭난 영적 생명은 □□한 것입니다.

생각열기

Q1 당신은 거듭난 그리스도인입니까? 언제 어디서 거듭남의 체험을 하셨습니까?

Q2 거듭난 이후 변화된 점은 무엇입니까? 말, 생각, 행동 등 구체적인 면에서 자신의 변화된 점을 나누어 보십시오.

다음 과를 준비하며
─────────────────────────────────
사람이 어떻게 거듭날 수 있는지에 관해 배우게 될 것입니다.

21 _2부 5권 2과 어떻게 거듭나는 것입니까

이 과의 주제 💬

성령의 도우심으로 거듭나고 거듭남을 확신한 사람은 복된 삶을 누리게 됩니다.

외울말씀 디도서 3:4~5

마음열기

홍콩의 대학가를 배경으로 한 〈역풍〉이라는 영화가 있습니다. 남자 친구의 끈질긴 전도에도 주님을 영접하지 않던 여대생이 주인공으로 등장합니다. 그런데 의과대학생 남자 친구가 뜻하지 않게 돌연 죽습니다. 그를 따르던 한 꼬마가 홍수로 인해 죽음의 위기에 처하게 되자 위험을 무릅쓰고 뛰어들어 그 아이를 구출하고 자기는 죽습니다. 이때 여자 친구는 남자 친구의 죽음을 보면서 예수 그리스도의 십자가의 뜻을 깨닫게 됩니다. 그리고는 예수님을 영접합니다.

이런 일이 있은 후 기숙사에서 같은 방을 쓰는 가까운 친구가 묻습니다.

'너는 왜 그 많은 종교 가운데 그리스도교를 택했니?'

이때 그는 이렇게 대답했습니다.

'내가 그리스도교를 택한 것이 아니라 그리스도께서 나를 택하신 것이다.'

'믿는' 역사와 '믿어지는' 역사

'너 미쳤구나. 지금 한 말 사실로 믿니?'

'그럼 너는 안 믿어지니? 어떻게 그렇게 분명한 진리를 믿지 않을 수가 있니?'

한 사람은 믿는 것이 불가능하다고 하고, 한 사람은 안 믿는 것이 불가능하다고 한다.

 여러분은 어떻게 예수를 믿게 되었습니까?

 우리가 예수 그리스도를 택한 것이 아니라, 그리스도께서 우리를 택하신 것이라는 사실을 어떻게 고백할 수 있을까요?

말씀열기

　　전 과에서 거듭남의 의미가 무엇인지를 배웠습니다.

이번 과에서는 거듭남의 방법을 살펴보겠습니다.

과연 우리는 어떻게 주님께로 돌아와 새 사람이 될 수 있을까요?

물과 성령으로 다시 나는 것이라고 했습니다(요 3:5). 그렇다면 물과 성령이 의미하는 바는 무엇입니까?

A * 물과 성령으로 거듭남

1. '물과 성령'의 의미

딛 3:5

》》 '물'이란 하나님의 말씀(요 15:3, 벧전 1:23)을 들음으로 말미암아 죄를 회개하고 마음을 돌이켜 주 앞에 나오는 영적 정결(렘 31:34, 겔 36:25)을 말합니다. 다시 말하면 '구원에 이르는 회개와 믿음'을 의미합니다.

　이와 더불어 하나님 편에서는 '성령'을 보내셔서 우리의 영적 새 생명을 얻게 해 주시는 것입니다.

2. 믿음은 어떻게 생깁니까?

롬 10:17

》》 믿음은 하나님의 말씀을 듣는데서 시작합니다(살전 2:13). 그런데 말씀을 듣는다고 다 깨닫는 것이 아닙니다. 성령께서 도와주셔야 말씀을 깨달을 수 있습니다. 성령의 도우심 없이는 누구도 예수를 나의 구주로 고백할 수 있는 믿음이 없습니다.

고전 12:3

은총과 믿음
감은(感恩)
앞선 은총
  (先行恩寵 prevenient grace)
우주적 은혜(universal grace)
개인적 믿음(individual faith)

벌이 꽃으로 날아갑니까?
꽃이 벌에게로 다가갑니까?

》》 신앙은 성령이 주시는 선물입니다. 신념과는 다른 것입니다.
하나님의 '앞선 은총'에 대한 응답이 신앙입니다.
  그렇기 때문에 '우리가 하나님을 안다'고 하기보다 '하나님이 우리를 알아 주신다'고 고백해야 할 것입니다.
  믿음이란 자기가 하나님께 알려져 있다는 것을 아는 일입니다.

  생명으로 이끄는 거듭남의 역사는 인위적인 방법이 아니라 성령의 힘으로만 가능합니다.

요 1:12 - 13

마 16:17

3. 우리의 구원은 하나님과 사람의 협동역사(합작품)입니다.

고전 3:6 - 7

》》 예수께서는 재물로 인하여 근심하고 돌아서는 젊은이의 발걸음을 돌리지 못하셨습니다 (마 10:17-22). 하나님의 부르심에 대한 인간의 응답이 없다면 구원은 가능하지 않습니다.

* TV를 보기 위해 필요한 두 가지 조건은 무엇입니까?
* 눈을 뜨면 사물이 보입니까?
* 비가 오면 그릇에 물이 담깁니까?
* 핸드폰이 진동해도 거부하면 통화가 이루어지지 않습니다.
* 구원은 믿음으로 받나요? 하나님의 은혜로 받나요?

B* 거듭남에 대한 인식

≫ 거듭나는 것을 어떻게 인식(의식)할 수 있는가 하는 문제입니다.

1. 거듭남을 반드시 감지할 수 있는 것은 아닙니다.

> 요 3:8

≫ 거듭난다는 것은 내적인 변화이기 때문에 반드시 감각으로 인식하게 되는 것은 아닙니다. 바람이 부는 것을 눈으로 볼 수는 없습니다. 다만 그 활동의 결과만을 보는 것입니다.
　중생의 역사는 '인식 이전의 역사' 입니다. 인식은 생명보다 훨씬 뒤에 있습니다. 생명이 존재하더라도 자기 존재에 대한 자의식은 시간이 훨씬 지난 뒤에 생깁니다. 구원에 대한 깨달음이나 확신이 없다고 구원받지 못한 것은 아닙니다.

* 여러분은 몇 살까지 젖을 먹었습니까? 기억나십니까?
* 아이들이 태어나서 언제부터 사물을 보기 시작합니까?
* 여러분의 생일을 어떻게 아십니까?

2. 거듭남을 인식하는 경우도 있습니다.

> 행 9:18-19

거듭남의 경험
* 사도 바울의 중생
* 디모데
* 삭개오
* 베드로
* 존 웨슬리

≫ 구원은 얻었는데 자신은 인식하지 못하는 경우가 있습니다. 구원을 얻은 것과 그것에 대한 인식이 동시에 일어나지 않기 때문입니다. 구원을 얻은 것과 확신을 동시에 얻게 되는 것은 통계적으로 볼 때 대부분 중간에 믿은 이들입니다. 이들은 자신이 몇 날 몇 시에 어디서 구원받았다는 것을 분명히 압니다.

3. 지금 내가 거듭난 사람이란 사실을 깨닫는 것이 중요합니다.

벧전 1:3

>>> 생일을 모르는 사람은 안 태어난 것입니까?

부모를 인식한 날이 곧 부모를 찾은 날이 아닙니다.

신앙의 성장은 구원의 확신으로 시작됩니다. 그러므로 내가 지금 거듭난 사람이란 사실을 아는 것이 중요합니다. 이것은 느낌으로가 아니라, 하나님의 말씀과 약속 안에서 믿음으로 확인되어야 합니다. 거듭남의 경험을 설명할 수 없을지라도 이미 거듭난 자로 존재하고 있다는 사실에 기뻐하십시오.

C * 우리를 향한 그분의 사랑

조
화

1. 구원의 확신과 기쁨을 간직하십시오.

엡 3:12

롬 15:13

>>> 집을 짓는 사람의 마음 :
은행 창구에 돈을 내는 사람의 마음 :
사랑을 하는 연인들의 발걸음은 언제나 활기찹니다.
우리를 향한 그분의 사랑을 확인하고 확신하기를 바랍니다.

생
화

2. 그리스도께서 나를 택하신 것입니다.

요 15:16

≫≫ 그리스도께서 나를 사로잡았습니다(빌 3:12). 그러니 이젠 더 이상 어쩔 수 없는 운명이 되어 버렸습니다. 마치 자신의 뜻과는 상관없이 우리 각자가 부모님으로부터 출생한 것처럼, 우리는 이미 정해진 사람들입니다(엡 1:5, 11).

우리는 이제 예수로 인해 살고 예수로 인해 죽습니다(롬 14:8). 예수밖에는 없습니다(행 4:12).

3. 우리의 구원을 영원토록 지켜주실 것을 믿습니다.

> 요 10:28-29

> 딤후 1:12

≫≫ 시작하면 중도에 그만 두는 일이 없으신 하나님을 우리는 믿습니다. 그래서 구원의 '시작' 으로써 완성의 '확신' 을 공포합니다.

  우리는 이 모든 일에서 우리를 사랑하여 주신 그분을 힘입어서 이기고도 남습니다(롬 8:31 -39).

생각열기

Q1 자신이 믿음을 얻게 된 과정을 이야기해 보십시오.

Q2 여러분의 구원이 영원히 지속되리라는 확신의 근거는 어디에 있습니까?

다음 과를 준비하며

거듭난 사람의 모습과 증거를 살펴보겠습니다.

운명적 관계
어머니를 바꿀 수 있습니까?
이 나라를 택한 이유가 무엇입니까?
'당신은 왜 나를 골랐소?'

예정과 지키심

22 _2부 5권 3과 거듭난 이의 모습과 증거

이 과의 주제 💬

구원의 확신을 갖지 못하는 이유를 살펴보고, 거듭난 이의 모습과 증거를 알아봅시다.

외울말씀 로마서 8:14-16

마음열기

오랫동안 신앙생활을 해 온 수산이라는 한 소녀가 있었습니다. 한번은 그가 몸이 아파 누웠을 때, 목사님이 방문했습니다. 소녀는 무엇을 바라고 있느냐는 목사님의 질문에 이렇게 말했습니다.

'목사님, 저는 크리스챤이 되지 못해서 두려워요. 나는 예수님을 사랑하지 않아요.'

'아니야, 나는 늘 네가 그리스도를 사랑한다고 생각해 왔다. 너는 사랑하고 있는 사람으로서의 생활을 했잖니?'

'아니에요. 저는 자신을 속여 왔고 주님을 사랑하지 못하는 것을 걱정하고 있어요.'

이때 목사님은 종이에 〈나는 주 예수 그리스도를 사랑하지 않는다〉라고 써서는 소녀에게 보여 주었습니다.

'수산, 여기 연필이 있다. 거기에 네 사인을 해라.'

'아니에요, 저는 여기에 사인할 수 없어요.'

'왜 못하지?'

'사인하기도 전에 이 글을 보기만 해도 제 심장은 산산이 찢어질 것 같은데요?'

'그렇지만 사실이라면 왜 사인할 수 없지?'

Q1 '그렇군요. 나는~, 그리스도를 사랑하고 있음을 깨닫게 되는군요.'
마음의 변화된 이것은 무엇입니까?

말씀열기

구원의 확신을 가진 그리스도인은 생활에 활기가 있고 기쁨이 있으며 평화가 있고 열심이 있습니다. 여러분에게는 구원의 확신이 있습니까?

때로는 그리스도인들도 '구원의 즐거움'을 상실할 수 있습니다. 하지만 곧 회복하면 됩니다. '구원'을 잃은 것이 아니고 '구원의 즐거움'을 잃었던 것이기 때문입니다(시 51:10 - 12).

당신에게는 구원의 즐거움이 있습니까?

A * 구원의 확신을 갖지 못하는 이유

1. 구원이 무엇이며 어떻게 구원받는지를 모르기 때문입니다.

엡 2:9 - 10

》》어떤 사람은 교회에 잘 출석하고 예배 잘 드리고 성경 열심히 읽고 착하게 살면 구원받는다고 생각합니다. 그러나 성경에서 말하는 구원은 '죄의 결박과 결과로부터의 해방'입니다. 다시 말하면 죄와 영원한 사망으로부터 벗어나는 것을 말합니다. 그러므로 구원받기 위한 그 어떤 것도 의미가 없습니다. 구원은 은혜의 산물입니다.

2. 구원의 길이 너무 단순하고 쉬워서 의심하기 때문입니다.

요 3:14 - 15

》》믿음으로 의를 얻는다는 도리가 너무 평이한 것이라서 믿지 못합니다.
믿기만 하면 된다고 하니까 믿어지지 아니합니다.

너무 단순해서
나아만 장군이 의심한 이유
요단강에 가서 씻으라
(왕하 5:1-14)
이스라엘 백성들이 광야에서 뱀이 물려 죽은 이유(민 21:4-9)

>>> 그러나 우리 주위에서 가장 필요하고 가장 귀한 것들은 돈과 수고로 살 수 없는 것을 봅니다. 공기 물 햇빛 생명이 그러하며 구원이 그렇습니다.

3. 구원의 근거를 인간의 감정과 기분에 의존하기 때문입니다.

> **히 6:1-2**

>>> 어떤 신비적인 인체 내의 자극이나 느낌 또는 환상이나 황홀경의 체험을 가져야만 구원받은 것이라고 생각하기 때문에 구원의 확신을 갖지 못합니다.
　인간의 감정이나 환경은 쉽게 변합니다. 따라서 그로 인한 신앙은 흔들리게 됩니다. 구원의 근거는 오직 신앙체험 즉 믿음으로써만 이루어짐을 알아야 합니다.
　물론 신앙에는 감정이 동반되는 것이 사실입니다. 그러나 이것은 신앙에 의한 결과인 것입니다.

노아가 구원받은 방법
1) 노아를 구원한 것이 느낌인가?
2) 승선의 조건이 있었는가?
3) 배를 만드는 일에 동참한 사람들도 모두 구원받았는가?

기관실　연료실　객실
사실　　믿음　　감정
Fact　　Faith　　Feeling

사실 ──── 믿음 ──── 감정
유효특효약 ── 복용 ──── 체내에서 약 효과
Fact ──── Faith ──── Feeling

>>> '사실' 이라는 기관차와 '믿음' 이라는 석탄차 그리고 '느낌' 으로 나타나는 객차와 같습니다. 그런데 객차로 기관차나 석탄차를 끌려고 함은 어리석은 일입니다.

≫ 이와 마찬가지로 하나님의 아들 예수 그리스도의 역사적인 속죄의 죽음과 승리의 부활은 하나의 '사실'이 됩니다. 이 예수를 나의 유일한 구주로 신뢰하고 이 분을 주님으로 영접하는 것은 '신앙'입니다. 그리고 모든 '변화와 느낌'은 신앙 후에 일어나는 결과입니다.

  우리들은 감정에 의하여 구원받은 것이 아닙니다. 어떤 감격이 있다면 그것은 신앙에 의하여 구원받은 결과인 것입니다. 예수를 영접하기도 전에 먼저 어떤 느낌을 찾는 것은 마치 뿌리와 줄기 없는 나무에서 열매를 구하려는 것과 같습니다.

B * 거듭남의 증거와 결과

1. 성경의 증거를 통하여 구원의 확신을 얻습니다.

> 요 5:24

> 요일 5:10

> 요일 5:11-13

≫ 구원은 약속의 말씀에 의존합니다.

깨어질 얼음 위로는 불타는 확신과 믿음을 가지고 걸어갈지라도 그 얼음이 결국 깨지고 말 것입니다. 그러나 혹 의심을 가졌을지라도 깨어지지 않는 든든한 얼음 위로 건너간다면 그 안전은 보장됩니다. 그러니까 확신과 의심의 차이가 아니라, 깨어질 얼음이냐 단단한 얼음이냐의 차이입니다.

확신과 구원
확신이 있어서
구원을 얻는 것이 아니라
구원을 얻었기에
확신을 가지는 것이다.

성령

2. 마음에 일어난 변화를 통하여 그 증거를 얻습니다.

요일 5:1

⟫⟫ 거듭난 사람은 믿어집니다.
믿어지는 것이 은혜요 성령의 역사입니다.

* 여러분은 어떤 이야기들에 대하여 재미를 느끼십니까?
* 예수 믿기 전의 친구들과 오늘의 친구들이 같습니까?
* 여러분은 어떤 노래가 좋습니까?
* 성경을 읽을 때 여러분의 마음은 어떻습니까?
* 사물을 보는 눈이 달라짐을 느끼고 있습니까?

3. 생활에 변화되는 체험을 통하여 증거를 얻습니다.

요일 3:9

요일 5:3

⟫⟫ 하나님의 씨가 우리 속에 거하고 있습니다. 모든 식물의 시작은 씨앗입니다. 씨는 그것의 원인이요 원동력입니다. 그것이 어디까지 컸든지 그 큰 것은 종자에서부터 시작되는 것입니다.
　조그만 사과를 맺게 했다고 해서 감나무나 배나무는 아닙니다.
　전등이 희미하게나마 켜진 것은 전력이 흐르고 있다는 증거입니다.
　순종하고 싶은 것과 순종을 잘 못하는 것은 다릅니다. 순종을 잘 못하더라도 순종하고 싶은 마음이 그 속에 있는 것입니다.
　타락한 사람은 거룩한 것을 기뻐하지 않습니다.
　양과 돼지의 다른 점은 무엇입니까?

본능적 행위
암탉에게 오리알과 달걀을 섞어서 까게 했더니 오리새끼와 병아리가 함께 지냈다. 하지만 물을 보는 순간 그들의 반응은 전혀 딴판이었다.

4. 성령께서 우리 마음에서 증거하십니다.

`롬 8:14-16`

....

`고후 1:22`

....

`요일 3:24`

....

》》 '애야, 무슨 소리냐! 하늘이 두 쪽 나도 이 분은 너의 아버지다!'
누가 해줄 수 있는 말입니까?

* 이제 우리는 누구 안에 있습니까? (고전 1:30)
* 누구의 자녀입니까?   (요 1:12)
* 무엇을 얻습니까?   (고전 6:11)
* 우리 안에 누가 거하고 계십니까? (고전 3:16)
* 누구의 지체입니까?   (고전 6:15)
* 어떻게 살아야 하는 것입니까?   (엡 4:22-24, 5:9)

생각열기

Q1 여러분은 구원 받았습니까? 그 증거는 무엇입니까?
여러분 자신의 말로 구체적으로 표현해 보십시오.

Q2 예수님의 이름을 들으면 여러분의 영이 움직입니까?

다음 과를 준비하며

이제 어떻게 구원을 완성할 것인가를 배우게 될 것입니다.

어머니의 영

초대교회 교부들 가운데는 성령을 어머니의 영이라고 한 사람들이 있었다. 왜냐하면 성령이 바로 우리가 하나님의 자녀임을 증거해 주시기 때문이다.

요셉의 깊은 웅덩이는 그의 인생에 전환점이었다
"그리고 이집트에서 요셉을 보디발이라는 사람에게 팔았다"(창 37:36).

마무리 * 확신편

우리는 믿음으로 구원받는 진리를 알았습니다

이 말씀이 우리 안에서 역동적으로 체험되기를 원합니다

그러나 구원받은 것으로

우리의 믿음생활이 끝나는 것은 아닙니다

계속해서 마땅히 해야 할 일이 있습니다

마무리
구원의 완성

23 _마무리1과 구원을 이미 받았습니다

이 과의 주제 💬

우리 모두는 구원을 이미 받았습니다. 그러나 이것은 우리가 완전하다
는 말은 아닙니다. 구원은 받았으되 우리는 여전히 어린 아이에 불과
합니다.

외울말씀 요한복음 5:24

마음열기

　　2차 대전이 끝날 무렵 일본인 수용소에 갇혀있는 포로들이 있었습니다. 패
전을 알게 된 일본인 감시 군인들은 포로들의 복수를 두려워하여 문도 잠그지 않은 채 도망
쳐 버렸습니다. 그러나 포로수용소에 갇혀 있던 사람들은 여러 시간이 지나도 그런 사실을
모르고 있었습니다. 미군이 진주한 다음에라야 비로소 그들은 석방이 되었습니다. 해방자
들은 포로들에게 이렇게 말했습니다.

'여러분들은 이미 여러 시간 전에 해방되어 있었습니다.'

Q1 이미 우리가 구원을 받았음을 불구하고 미처 깨닫지 못한 것은 아닙니까?

Q2 구원이 이루어지기까지 수용소 안에 있던 이들이 한 일은 무엇입니까?

말씀열기

　　D-day, Decisive day는 결정적인 날이란 뜻입니다. 2차대전 때 1944년 연
합군이 노르망디 해안에 상륙을 성공적으로 했던 날에 비유합니다.

그러나 이때 연합군이 상륙해서 독일군을 결정적으로 무찔렀다고 해서 전쟁이 끝났느냐 하면 그렇지는 않습니다. 전쟁이 완전히 끝난 것은 연합군이 독일군 수도인 베를린을 함락했을 때입니다. 이 때를 V-day, Victory-day 승리의 날이라고 합니다. 이와 같이 전쟁이 결판이 난 날과 전쟁이 끝나 승리가 완성된 날까지는 많은 기간이 있었습니다.

A＊구원의 세 가지 차원

≫ 예수 그리스도께서는 이미 죄와 죽음의 세력을 꺾으시므로 구원이 시작되었습니다. 그러나 그 완전한 승리는 미래에 보유되어 있습니다.

고후 1:10

....

≫ 구원은 세 차원에서 생각할 수 있습니다.
☺ 이미 임한 천국
　과거적인 것으로, 예수의 오심이 바로 천국의 시작이다.
☺ 확장되는 천국
　현재적인 것으로 천국이 확장되어 나가는 것이다.
☺ 완성되는 천국
　미래적인 것으로 예수의 재림과 함께 임하게 되는 천국이다.

이것은 마치 히브리백성들이 이집트에서 탈출하여 광야를 거쳐 가나안에 들어가는 것과도 같습니다.

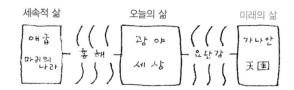

구원의 단계
하나님이 주신 구원의 순서는 강을 건너가는 돌다리와 같아서, 그 중의 하나라도 빠지면 구원의 완성에 도달할 수가 없다. (칼빈)

칭의/과거 – 나는 죄의 형벌에서 구원받았다.
　　　　　나의 '위치'는 그리스도 안에 있다.
성화/현재 – 나는 죄의 권세로부터 벗어나고 있다.
　　　　　나의 '상태'는 그리스도를 닮아가고 있다.
영화/미래 – 나는 죄의 존재로부터 구원받게 된다.
　　　　　나의 '기대'는 그리스도와 같아지는 것이다.

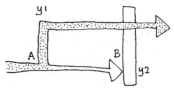

B* 믿음으로 구원을 받았습니다

1. 이미 구원을 받았습니다.

> **요 5:24**
>
> ....

≫ '구원을 얻었다'고 하는 단어는 원어에 보면 완료형 분사의 수동태입니다. 이 말은 지금 내가 구원을 받았다고 하는 말입니다.

믿음으로 구원 받은 사람은 '파선된 배에서 구조선으로 옮겨진 사람'과 같습니다. 완전한 구원인 육지는 아직 저 멀리에 있으나, 구원은 구조선에서 벌써 실현된 것입니다. 구원은 미래에만 받을 것이 아니라 현세에 이미 받았고 또한 계속해서 받고 있습니다.

2. 믿음으로 구원받은 사람은 밀월의 시간을 살아갑니다.

> **롬 8:5-6**
>
> ....

≫ 구원 얻지 못한 이는 사형수의 시간을 사는 사람입니다. 사형 언도 받은 죄수들이 감방에서 한 사람씩 형장으로 끌려가는 사람을 바라보면서 자기의 순서를 기다리는 것과 같습니다. 그러나 크리스챤의 시간은 영원한 밀월의 시간입니다.

기본구원
1) 구원의 제1시제
　(첫 번째 구원)
2) 과거의 구원
　(이미 구원을 받았음)
3) 동시적 구원
　(믿음과 동시에 이루어짐)
4) 영의 구원
　(우리의 영이 거듭난 것)
5) 칭의의 단계
　(의롭다 여김 받음)

✻ 크로노스와 카이로스

✻ 무정란 시간과 유정란 시간

✻ 희망의 차이

✻ 하나님 나라 생명의 시작

오직 예수
Sola Christi

C✻ 그리스도인의 신분과 수준

≫ 우리는 분명히 새 사람이 되었습니다.
  구원받은 하늘에 속한 하나님의 사람이 되었습니다.

하늘에 속한 사람
나는 땅을 밟고 섰으나
땅의 사람은 아니다.
(마틴 루터 킹)

1. 명칭과 수준은 차이가 있습니다.

고전 3:1

≫ 고린도 교인들을 가리켜 바울이 '성도'라고 하면서도 그들에게 신령하지 않다고 합니다. 그것은 그들이 육신에 속해 있기 때문입니다. 우리는 구원받았지만, 그렇다고 구원받은 그 순간에 완전해지는 것은 아닙니다. 우리의 신분이 바뀐 것은 사실이지만, 우리의 수준이 하루아침에 바뀔 수는 없습니다. 내가 오늘 마땅히 왕으로서 살아야 할 부름을 받은 것과, 왕으로서 완성되어 있다는 것은 거리가 있다는 말입니다.
  '벌거벗은 임금님'
  '벌거벗은 성도들'
  그리스도인은 완성된 자가 아닙니다. 다만 되어가고 있는 자일뿐입니다.

롬 7:24

....

》》 사도 바울은 고민을 말하고 있습니다. 우리의 삶이 우리를 괴롭게 합니다. 그렇다고 내가 구원받지 못한 것은 아닙니다. 그 점을 인식하는 것이 중요합니다.
  우리가 누리는 권리와 축복들은 우리의 '신분' 때문이지 '수준' 때문이 아닙니다.

2. 하나님은 우리를 당신의 자녀로 삼아주셨습니다.

롬 8:16

....

》》 '나면서부터의 본래적인 자녀'
  '양자로 입적된 자녀'
  사도 바울은 '너는 아들이다! 양자가 되었다!' 라고 하는 것은 절대적 은혜요 강권적 은혜이며 주권적 은혜의 결과라고 말합니다. 이제 우리는 과거 죄인 의식에서 해방되어야 합니다. 양자되기 전의 자격이나 환경에 대하여 묻지 않는 것이 양자됨의 특징입니다.
따라서 이제는 과거로부터 완전히 자유로운 것입니다.

롬 8:2

....

》》 우리가 그분의 자녀라고 불리기에는 너무나 부족합니다. 그러나 그것이 '좌절의 근거' 가 되어서는 안 됩니다. '분발의 근거' 가 되어야 합니다. 하나님이 우리를 그의 자녀로 부르신 것은 우리가 그분의 자녀다운 조건들을 가지고 있었기 때문이 아닙니다. 그렇지 않음에도 우리를 불러 주신 것입니다.

3. 이 땅은 완성되기 위한 훈련소입니다.

빌 3:12

⟫⟫ 우리는 아직 완성된 것이 아닙니다. 완성되어 있다면 더 이상 살아있을 필요가 없습니다. 완성되는 날이 이 땅의 훈련소에서 전역하는 날입니다. 이 땅이 하나님의 일을 위해서만 있는 것이 아니라, 완성되기 위한 훈련소라는 것을 알아야 합니다. 스스로 부족함이 느껴질 때마다, 내가 이 부분에 대해서 더 공부하고 훈련해야겠다고 우리 스스로 채찍질을 가해야만 합니다.

생각열기

Q1 구원은 믿음으로 말미암아서입니까? 행함으로 말미암아서입니까?
믿고 행함으로입니까? 아니면 순전히 믿음만으로 입니까?

Q2 크리스챤은 믿음으로 구원을 얻었습니다(D-day). 그러나 아직 구원의 완성을 받지 않은 상태 속에서(Already, Not yet) 구원의 완성을(V-day) 바라보는 자로서 사는 것입니다. 이제 우리는 어떻게 살아야 한다고 생각합니까?

Q3 신앙의 훈련소인 이 땅에서 여러분은 어떤 훈련을 받고 있습니까?

✝ **다음 과를 준비하며**

다음과는 구원의 제 2시제이며, 현재의 구원인 성화의 단계에 대해서 나눕니다.

오직 믿음
이신득의(以信得義)
Sola Fide

24 _마무리2과 구원, 또 다른 시작

이 과의 주제 💬

우리는 믿음으로 구원받는 진리를 알았습니다.
그러나 구원받은 것으로
우리의 믿음생활이 끝나는 것은 아닙니다.
계속해서 마땅히 해야 할 일이 있습니다.

외울말씀 빌립보서 2:12

마음열기

한번은 예수님이 어떤 성의 거리를 지나가실 때 네 거리에서 청년이 술상을 놓고 포식과 폭음을 하며 만취된 모습을 보셨습니다. 예수께서 그에게 물으셨습니다.

'그대는 왜 이런 삶을 사는가?'

그 청년은 대답합니다.

'나는 일찍이 문둥병자였는데 당신이 나를 깨끗게 해주셨지요. 그런데 내가 어떤 방법으로 살아가야만 한단 말인가요?'

또 얼마를 가시니 한 젊은 여인이 호화스러운 옷을 걸치고 있는 것으로 보아 창녀인 것 같았는데, 그 뒤에 어떤 젊은 남자가 색정적인 눈으로 그 여인의 뒤를 따르고 있었습니다. 예수께서 그 청년에게 물으셨습니다.

'젊은이, 왜 당신은 그 같은 눈으로 저 여인을 바라보오?'

'나는 소경이었습니다. 그런데 당신이 내 눈을 뜨게 해 주셨습니다. 그런데 내가 어떻게 살아가야 한단 말입니까?'

이번에는 여인에게 물으십니다.

'왜 그대는 이런 식의 삶을 살고 있는가?'

'나는 이전에 죄인이었는데 당신은 나를 용서해 주었습니다. 그런데 나는 이 일 외에 무엇이고 할 것이 없습니다.'

Q1 이 소설의 이야기를 통하여 우리는 무엇에 대해 말할 수 있을까요? 구원받은 후의 나의 삶은 어떻게 변화되었습니까?

Q2   여러분은 얼마만큼 성장하고 있습니까?

말씀열기

    구원의 확신이 우리에게 너무나 중요한 축복이고 은혜이지만, 그것만 가지고 너무 흥분하며 뛰고 있어서 하나님께서는 그 다음의 말씀을 할 틈이 없습니다. '우리는 이제 죄와는 무관한 자가 되었다. 우리는 해방을 얻었다'고 하면서 굶어 죽기 일보 직전까지 그 감격만을 부르짖고 있으면, '그 다음엔 무엇입니까?' 라는 문제에 관하여는 들을 자세를 갖지 못하기 쉽습니다. 하나님 앞에 겸손히 무릎을 꿇고 '이제 말씀하옵소서' 하는 단계에 들어가야 됩니다.

A * 생명이 자라나서 열매를 맺어야 합니다

1. 사랑으로 구원을 얻습니다.

요일 3:14

>>> 남녀가 만나 결혼을 하는 것 못지않게 그 이후에 이어질 결혼생활이 중요하듯이, 은혜를 받는 일 못지않게 은혜생활을 하는 일이 소중합니다.
  이미 구원을 받은 사람이지만, 이제 그 구원을 계속적으로 이루어 나가야 하는 것입니다.

빌 2:12

건설구원
1) 구원의 제2시제
   (두 번째 구원)
2) 현재의 구원
   (오늘 현재 이룰 것임)
3) 계속적 구원
   (단번에 이루지 않음)
4) 혼의 구원
   (의지적 노력을 요구함)
5) 성화의 단계
   (거룩하게 되어짐)

BC보다 AD가 더 중요합니다.

> 히 4:1

2. 생명이 자라나야 합니다.

> 엡 4:13-15

* 태어난 아기는 이제 코로 숨을 쉬고 입으로 먹기 시작합니다.
* 젖 먹는 아기의 재롱은 귀엽습니다. 하지만 성장해야 합니다.
* 교회는 신생아들로 가득 찬 산부인과 병원이 아니라 군대입니다.

신앙의 본질은 생명이고, 생명의 본질은 성장에 있습니다.

3. 우리의 성장은 열매로 나타납니다.

> 요 15:16

> 엡 2:8-10

예수천당

이 말 만큼 기독교의 복음과 그 내용을 간략하고 명쾌하게 집약한 단어는 없다. 그러나 이것은 기독교 진리의 가장 핵심 되는 부분을 대표하고 있다는 것이지, 기독교 진리의 전부를 표현하고 있다는 뜻은 아니다.

>>> 하나님께서 우리를 믿음으로 구원받게 하신 것은 당신의 원하시는 선한 열매를 맺게 하시려는 뜻이었습니다.

'행위에 의해서'(by)가 아니라 '행위를 위해서'(for) 구원하셨습니다.

그리스도인의 신분이 바뀌었다는 것은 그리스도인의 생활 근본이 바뀐 것입니다. 이것을 나무로 비유하면 나쁜 열매를 맺는 나무에 좋은 열매 맺는 가지를 접붙인 것입니다(롬 11:17-18). 그러므로 참 그리스도인은 행실로 좋은 열매를 맺게 되어 있습니다(마 7:16-18).

＊ 약도를 아무리 잘 그려주어도 찾아갈 시력이 없으면
＊ 약도를 잘 그려서 눈을 뜨게 하지는 않아
＊ 예수 그리스도는 우리의 눈을 뜨게 하기 위하여 오셨다.
＊ 눈을 떠보니 우리가 어디에 있는가?

　이제야말로 약도가 필요하다.
　우리가 가야할 곳을 알고 있기 때문이다.
　가야만 하는 사람들이기 때문이다.
　누구의 눈이 더 큰가 비교하고 앉아있을 일이 아니다.
　예전에는 눈을 감고 헤매다가 이제는 눈 뜨고 헤매겠는가?

B＊ 성도가 되었으니 거룩해지라고 하십니다

1. 우리를 선택하신 목적은 거룩하고 흠이 없게 하시려 함입니다.

　　엡 1:4

》》 우리는 성도(聖徒)입니다. '거룩' (hagios)이라는 말은 '다르다, 분리되었다', '흠이 없다'
는 말입니다.
　　정말 달라져야 합니다. 안 믿는 사람(Non-Christian)과 달라야 하고, 믿기 전(Pre-
Christian)과도 달라야 합니다.

　　고후 7:1

》》 거룩하신 하나님의 사람들이니 우리도 마땅히 거룩해야 합니다.

　　벧전 1:15-16

칭의와 성화
쇠가 불에 들어가 변하는 것과
같다. 즉 은혜 속에 넣어지는 것
이 칭의이며, 은혜에 의해 변해
지는 것이 성화이다.
(루터)

157

2. 거룩해지는 데는 시간이 필요합니다.

> ### 엡 4:22-24

》》》 죄 사함 받고 구원 받는 데는 많은 시간이 필요 없지만, 거룩해 지는 데는 많은 시일이 필요합니다. 여기서 '벗어버리라' 는 말씀은 죄악의 껍데기들을 말합니다. 한 껍데기 벗어버리고 나면 또 한 껍데기가 있음을 발견합니다.

벗어버려도 또 있고, 이렇게까지 벗어버리느라 힘썼는데 여전히 남아있습니다(롬 7:24, 딤전 1:15).

운전면허를 따는 것과 운전을 능숙하게 하는 것과는 차이가 있습니다.

C * 그리스도인으로 살아가면서 겪는 고난이 있습니다

》》》 '예수 믿기는 쉬우나, 예수 믿기는 어렵습니다.

즉 믿음으로 구원 얻는 일은 예수를 믿기만 하면 되므로 간단하다고 하겠지만, 사랑으로 구원을 이루어 거룩하게 되는 일은 결코 쉽지 않다는 뜻입니다.

1. 내 속에서 일어나는 갈등이 있습니다.

> ### 롬 7:21-23

》》》 그리스도인은 옛사람을 포기하는 데서 일어나는 갈등 때문에 고난을 당합니다. 두 마음의 갈등이 있고, 그래서 내적인 투쟁으로 인한 고난이 생깁니다.

2. 밖으로부터 오는 고난이 또한 있습니다.

> 요 15:18 - 19

››› 악한 세상의 정신과 그 가치관에 순종하지 않고 하나님 나라의 시민으로 살기 때문에 받는 고난입니다. 그러나 이러한 고난은 그리스도의 십자가에 동참하고 있음을 의미합니다.

3. 제자가 되기 위해서는 이러한 고난을 기꺼이 감수해야 합니다.

> 막 8:34

››› 이렇게 안팎으로 겪는 고난 '제자도' 라고 부릅니다. 이러한 고난을 극복해가면서 우리는 예수 그리스도의 그 영광된 형상을 점점 닮아가는 것입니다. 이것을 '성화' (聖化) 또는 '성결' (聖潔)이라고 말합니다.

생각열기

Q1 모든 살아있는 것은 성장하게 되어 있습니다. 자라나지 않는다면 그 원인을 진단해 보십시오.

Q2 히브리서 4:1을 읽고 묵상하십시오.

Q3 세상 속에서 세상과 구별된 하나님의 자녀로 살아가기 위해 어떤 노력과 대가를 지불하고 있습니까?

다음 과를 준비하며

미래에 얻게 될 구원에 대해서 생각하겠습니다.

성화

성화(성결)가 없는 확신은 '값싼 은혜' 이다. 그러한 믿음은 안도감과 순간적인 기쁨의 추억은 가질 수 있겠으나, 변화된 삶은 기대할 수 없다.

성장

몇 년 전에는 어떤 사람이 내게 시비를 걸어오면 나도 그 사람에게 맞받아 시비를 하곤 했습니다. 다음 해에는 어떤 사람이 시비를 걸어올 때 나는 이를 악물고 그에게 아무 대꾸도 하지 않았습니다. 이전보다는 나아진 셈입니다. 그 후 언제부터인가 나는 어떤 사람이 시비를 걸어와도 오히려 주님을 찬양할 수 있게 되었습니다. 나는 성장한 것입니다(오르티즈).

25 _마무리 3과 미래에 완성되는 구원

이 과의 주제 💬

소망 중에 인내로 구원을 얻을 것입니다. 이것은 우리가 미래에 얻을 구원이며, 구원의 완성을 의미합니다.

외울말씀 로마서 8:30

구원의 3시제

칭의(稱義 Justification)
성화(聖化 Sanctification)
영화(榮華 Glorification)

마음열기

물에 빠져 죽어 가는 사람을 어느 판사가 건져서 살려준 일이 있습니다. 그런데 그 사람이 후에 어떤 범죄를 저질러 법정에서 재판을 받게 되었습니다. 그리고 공교롭게도 예전에 자기를 건져준 판사 앞에 서게 됩니다. 그러자 그 사람은 애걸하면서 이렇게 말합니다.

'판사님, 저를 불쌍히 여겨주십시오. 전에 내 생명을 구해준 적이 있지 않습니까?'

그러나 판사는 냉정하게 판결을 내립니다.

'그렇소, 그때는 내가 당신을 구원해 준 사람이었으나, 지금은 그대를 재판하는 사람이오.'

예수님은 우리를 구원하시기 위해서 오셨습니다. 그러나 다시 오시는 그때는 우리를 심판하실 분으로 오십니다. 주님 앞에 설 준비가 되어 있습니까? 예수께서 언제 오실 지 또는 우리가 언제 죽음을 맞이할지 그 때를 알지 못하나, 느긋한 자세보다는 긴장하면서 항상 깨어 준비하는 자세가 필요합니다. 이러한 신앙을 '종말론적인 신앙' 이라고 합니다.

Q1 항상 깨어 준비하는 자세는 어떠해야 할까요?

Q2 지금 이 순간이 주님 앞에 서는 시간이라면?

말씀열기

구원에는 세 단계가 있다는 것을 이미 배웠습니다.
지금까지 구원의 과거 시제에 집중하였다면 여기에서는 현재적 구원과 미래적 구원에 대해
살펴봄으로써 어떻게 구원을 완성하게 되는지 알아보겠습니다.

A＊그리스도인의 완전

1. 아버지의 완전하심과 같이 되어라.

`마 5:48`

》》 예수를 믿은 기간이 어느 정도 되었으면 좀 더 온전(완전)해져야 하지 않겠습니까?
생활의 목표를 하나님과 그 온전함에 두십시오.
자녀에게 최상의 것을 바라는 것이 아버지의 심정입니다.

2. 못한 것이 아니라 안한 것입니다.

`마 26:41`

》》 하나님은 우리가 우리 자신을 아는 것 보다 더 잘 아셔서 사람이 약한 것도 아시고 부족
한 것도 잘 알고 계십니다. 그런데도 하나님께서 우리에게 완전하라고 하시는 것은 우리가
완전할 수 있음을 알고 계신 것입니다.

그런데 처음부터 아예 포기하고는 그럴 수밖에 없었다면서 자신의 행동에 대해 변명하고
합리화 해버리는 경향이 있습니다. 완전하지 못한 것은 우리의 잘못이요 그 책임 역시 우리
자신에게 있습니다.

구원의 완성

1) 구원의 제3시제
   (세 번째 구원)
2) 미래의 구원
   (소망 중에 인내로)
3) 궁극적 구원
   (영원한 구원)
4) 육의 구원
   (육신의 죽음)
5) 영화(榮華)의 단계
   (영광스러움)

찬송가 364장
내 일생 소원이 늘 찬송하면서
주께 더 나아기 원합니다

찬송가 215장
이 죄인을 완전케 하옵시고
내 맘속에 거하심 원합니다

완전의 의미
촛불의 완전과 태양 빛
앉은뱅이 꽃과 장미꽃의 완전
초등학생과 대학생의 완전

웨슬리의 관심은 완전의 '이론'에 있지 않고, 하나님이 우리에게 '요구'하시는 바에 있다. 기독자의 완전은 펠라기우스가 주장했던 '죄 없는 상태'를 말하는 것이 아니라, 인간으로서 할 수 있는 사랑의 완전함을 말한다.

히 12:4

≫ 신앙의 위대한 선배들은 피를 흘리며 예수 믿었고, 목숨을 걸고 복음을 전했습니다. 온갖 핍박을 다 당하면서 예수님 따라가기를 원했습니다. 적당히 싸우다가 항복해버리고는 '안된다' 고 '할 수 없다' 고 그러지 않았습니다. 우리는 스스로 죄악과 싸울 수 있어야 합니다. 마땅히 싸워야만 합니다. 언제까지입니까?

아버지의 완전하심에 이를 때까지!

내 목숨이 끊어질 때까지!

3. 완전이란 '사랑 안에서의 완전' 을 말합니다.

엡 4:15

≫ 하나님의 말씀에 의해서 '잠재적인 완전한 가능성' 을 인정하는 것이 기본적인 신앙입니다.

그런데 '그리스도인의 완전' (Christian Perfection)을 말하니까 이것을 가리켜 사람을 천사로 만들려는 것이 아니냐는 오해를 합니다만, 여기에서 말하는 완전은 '절대적 완전' 이 아니고 '상대적인 온전', 즉 인간으로서 성경이 보여주고 그리스도가 우리에게 가르치시고 명하신 사랑의 완전, 즉 '사랑 안에서의 완전' (perfect in love)을 말합니다.

B * 종말론적인 신앙

1. 항상 깨어 준비하는 자세가 필요합니다.

마 25:13

>>> 우리의 신랑 되신 예수님을 맞이하는 '기쁨'을 위해서도 준비할 것입니다. 즉 하나님의 심판을 두려워만 할 필요가 없습니다. 심판은 억울함을 당하고 있는 사람에게는 복을 주시는 기회가 됩니다.

　결혼 날짜를 정하고 기다리는 처녀가 그 날이 다가올수록 신경질이 난다면 그것은 문제가 있는 것이 아니겠습니까? 공부를 충분히 한 사람은 시험 날짜가 다가오는 것을 겁내지 않습니다.

2. 소망을 가지고 그날까지 인내할 것입니다.

`히 10:35-39`

`롬 8:18`

>>> 하나님의 뜻을 행하는 길에는 많은 어려움이 있습니다. 그러나 우리가 인내할 수 있는 것은 우리 앞에 있을 생명 때문입니다. 하나님께서 약속해 주신 것을 받으려면 인내가 필요합니다.

3. 그렇다면 어떤 상이 우리를 기다리고 있을까요?

`마 16:27`

자랑의 면류관 ＊	＊ 썩지 아니함(고전 9:24-25)
아름다운 면류관 ＊	＊ 진실한 목자(벧전 5:2-4)
의의 면류관 ＊	＊ 충성스런 자(계 2:10, 약 1:12)
영광의 면류관 ＊	＊ 영혼의 승리자(살전 2:19)
생명의 면류관 ＊	＊ 속죄자(계 4:4, 시 21:3)
금 면류관 ＊	＊ 기대하는 자(딤후 4:7-8)
승리의 면류관 ＊	＊ 공의와 구원(사 62:3)

믿음과 행함
믿음으로 구원받고
행함으로 상급 받는다

찬송가 205장
영생 복락 면류관
확실히 받겠네

>>> 각 사람이 행한 대로, 즉 기회(달란트)에 비례하고(마 25:14 - 30) 충성에 비례하여(삼상 16:7) 상을 주십니다.

공력심판
· 무엇이 그 날에 각 사람의 한 일을 드러나게 합니까?
· 타는 것은 무엇이고 안 타는 것은 무엇입니까?
· 세워 놓은 일이 그대로 남으면 어떻게 됩니까?
· 여러분은 무엇으로 집을 짓고 있습니까?

고전 3:12 - 15

계 19:7 - 8

계 16:15

4. 영광 중에 주님 앞에 서기를 바랍니다.

골 3:4

살후 1:11 - 12

>>> 불 가운데 얻은 구원, 불 속을 헤치고 나오듯 하는 부끄러운 구원이 아니어야 하지 않겠습니까? 영광의 주와 함께 왕 노릇 하여야 하지 않겠습니까?

C * 부활신앙

1. 우리는 부활할 것입니다.

고전 15:44, 49

고전 15:51 - 53

>>> 이제 우리는 구원의 완성의 때에 몸이 변화할 것입니다.

2. 우리가 부활할 때에는 어떤 몸이 될 것입니까?

»» 부활하신 예수님의 몸이 어떠하셨는가를 살펴보면 ~

> 눅 24:39, 요 20:20, 27

> 마 28:7-10

> 요 20:19

> 눅 24:30, 42, 43

> 고전 15:42

> 요 5:28 - 29, 단 12:2

»» 우리도 그렇게 될 것입니다(고전 15:20).
주님은 잠자는 자들의 첫 열매가 되셨기 때문입니다.

3. 기독교인은 부활신앙을 소유해야 합니다.

> 고후 4:9

»» 부활신앙을 가진 사람은 절망과 죽음의 거부이고, 용서와 용기, 재기의 힘이며, 기독자의 윤리입니다. 부활신앙을 소유하십시오. 부활의 체험, 부활의 기쁨, 부활의 새 생명이 우리들에게서 솟구쳐날 것입니다.

생각열기

Q1 주 앞에 섰을 때 면류관 대신 개털 모자를 받지는 않겠습니까?

Q2 죽기 5분전에 예수 믿고 천당 가겠다는 말을 하는 사람이 있습니다. 어떻게 생각하십니까?

Q3 부활신앙이 없는 사람들은 어떻게 살아갑니까?

요단강을 건넌 여호수아가 가나안 땅에 들어갔다
"제사장들의 발이 요단 물 가에 닿았을 때에 흐르던 물이 멈추었다"(수 3:15-16).

지금까지가 전편(확신편)이었습니다.
이어서 후편(성장편)이 계속됩니다.